萬松巢 著

范耕研重編

蘦硯齋叢書之十三

十外宗所齊詁文欒

文史哲出版社印行

國家圖書館出版品預行編目資料

十六錢硯齋詩文集 / 萬松巢著,范耕研重編. -- 初
版. -- 臺北市：文史哲,民 91
面： 公分.--（蠹硯齋叢書；13）
ISBN 957-549-474-1 (精裝) ISBN 957-549-475-x
(平裝)

1.

847.7

蠹 硯 齋 叢 書

十六錢硯齋詩文集

著　　者：萬　　松　　巢
重 編 者：范　　耕　　研
出 版 者：文 史 哲 出 版 社
　　　　http://www.lapen.com.tw
登記證字號：行政院新聞局版臺業字五三三七號
發 行 人：彭　　正　　雄
發 行 所：文 史 哲 出 版 社
印 刷 者：文 史 哲 出 版 社
　　　臺北市羅斯福路一段七十二巷四號
　　　郵政劃撥帳號：一六一八〇一七五
　　　電話 886-2-23511028 · 傳真 886-2-23965656

中 華 民 國 九 十 一 年 (2002) 十月初版

十六錢硯

2

輯印說明

一、此輯非先父耕研公之文，係吾邑先賢萬松巢先生所箸，民國三十年（一九四一）經耕研公重編後，由抄手所抄之手抄本。即以原抄本影印，是為本叢書之十三。

二、於原文外加寫《輯印說明、總目次及後記》予以說明，未用打字，特煩請河南書家同宗慶霄兄用毛筆繕寫，看起來較為美感。

三、原詩、文分裝二集，今則合訂為一冊。較原抄本略短，幸其內文之大小與前印各輯相同並未有任何變更。另於扉頁補印松巢先生寶藏之「十六錢硯杏村寶之」拓印，係刻於其硯背面之字樣，隨手夾於原抄本內者。

四、抄本並未註明頁次，今予標出便於查閱。

五、手抄本業經先父校勘，抄錯之字，其右側均經鉛筆標注，亦有雖不見鉛筆舊痕而被先父所改之字蓋過者，又有於原字之上逕改而明顯可見鉛筆之跡仍在者，或雖見鉛筆標注但尚未改者。戰時生活不定，未能竟其功。

六、前編各輯均用高　明教授之序，此輯似覺不妥，遂略。

十六錢硯齋詩文集總目次

十六錢硯拓印 一
輯印說明 三
程序 九
十六錢硯齋詩集目錄 一三
十六錢硯齋詩集 二五
十六錢硯齋文集目錄 八三
十六錢硯齋文集 八九
跋 二〇七

後記

十九宋明僉詩集

程序

外舅杏村先生為吾鄉之耆碩壯年授徒閭里邑中諸先輩有文譽者多出其門鵠生也晚方總角時先生已歸道山未獲親承其謦欬長遊里塾聞諸長老時時稱述先生之為人因得以知其崖略焉先生少孤極貧賴母氏蕭太孺人勤勞針黹獲撫育以躋於成先生生而嗜學文章淹雅工吟咏知名四方以母氏艱貞勵節尤篤於孝初賓館穀供菽水既而由選拔為校官遂稍稍得以祿養凡教授遠方宦遊他郡將毋之念幾於無飯不忘讀其所作可以觀已甲辰之秋先生哲孫霞軒裒其詩文若干首責序於

予夫以予之淺陋豈足序先生之文即先生之至行肫摯
亦豈容徒以文求第取先生全集端牘誦之匪莪之感寸
草之思時時流露於楮墨而其篤於師友學於同宗切於
表章殷於風勸事之散見於文者無非本錫類之仁以廣
施而善應又況乎清新之韻雋拔之思即以文論尤實有
可愛而可傳者蓋肫肫然孝子之心聲德人之意匠也豈
徒其子若孫所當寶貴哉時在光緒三十年甲辰秋九月
私淑婿程人鵠謹識

十六錢研齋詩文集

南清河萬鏞杏村箸

男以滋慈恩

以賡續子

以承繼子校字

婿程人鵠振六編次

孫男嗣熙緝軒

嗣勳彝軒

嗣鏊紹軒

嗣燾覆軒

嗣杰芸軒校錄

曾孫顯樾一名霖泉生校刊

顯樞極生

顯槐植生同校

曾孫女壻范耕研伯子重編

十六錢研齋詩集目錄

雜詩七首 25
詠古三首 27
白雲 28
放言 28
覓婢行 29
感時篇 30
歸歟嘆 30
浮雲歌 33
曉仙 33

苦旱 34
禹山山長五十不得就壽詩以將之 34
歷下觀大操歌 36
過漂母祠 37
哭許錦攄師 37
山予湖泛月二首 37
渡京口 38
以言從子入學短句致意 39
丙寅九月三日為先君子三十忌日感賦一律 39
追憶四首 39

禹山先生批獎課卷有宇宙有數文字之語感賦一章 40
怡莽先生續修榷志采訪節孝家慈與焉讀之感甚 40
貧女 40
子青病七十餘日矣書至感作四律却寄 41
書禹山山長遠海詩鈔後 42
魏子詩存一卷梓成感賦 42
梅花嶺弔史閣部 42
辛未二月二十日有懷閩津孫二大却寄 43
暑雨經旬舍南人家盡入水中傷今思往得詩二首 43
題兜以滋扎尾 44

己丑四月十四日同居停訥公往濟南侵晨途中微雨 44
將抵紅花埠 45
馬陵山 45
半城 46
早過蒙陰縣 46
寓趵突泉枕流書屋二日成詩三首 46
遊大明湖 48
得從兄毓成書 48
獨客 49
月下有感 49

次王季海州尊韵奉答 49
四節坊紀事詩並序 50
春花 53
夜吟簡王大 53
寄懷閭邃樓先生 53
韓信橋 54
張蘊山孝廉招賞牡丹即次其尊人蠡秋山長韵 54
望甓湖 55
夏初偕及門諸子寓郡城呂仙祠讀壁上沈漁隱四律頗欲效
顰因俗塵匆匆未果也茲閱禹山山長南歸集有和作爲

之神爽心憶前境補撰此詩 55
蘆花 56
九日作 56
落葉四首 56
示外弟蕭醞之及門 58
連山先生以詩見簡走筆酬疊元韵四首 58
酬次湖南見懷韵 59
寄懷毛子喬即次其題家慈旌表元韵 60
寄懷李怡弇先生 61
戊辰六月初五日秉鴻兄書至愴然有作 61
家母節孝事蹟鐫成一集喜賦 61

雜感用蕭梅生寄懷韻 62
無題四首 62
燕子磯阻風 64
寄懷陳再村前輩 64
登沭陽城樓 64
思鄉 65
題李屏山安居娛老圖 65
偶以舊作楹聯倩劉隱南張紫庭兩廣文各書十四字懸之廳事因首尾加二十八字足成一律 66
簡蕉林外史 66

月夕獨遊池上 66

讀山東省府州縣合志偶成長律 67

秋吟十二首雜亂無章聊以遣興存六 67

三十日紳士何雲伯孫酉山汪省齋吳荔裳公餞即
席志謝用荔裳壁間韻 69

庚申闈作錦攄師閱之稱賞報罷後相對泣下感何
如之 70

書禹山南歸集後 70

留別泰興士紳 71

重過趵突泉 74

登舟 74
月下看木蘭 75
新蟬 75
即事 75
酒家 75
偶成二絕句 75
新街步月 76
偶成 76
立秋舟中 77
舟夜 77

三十一歲作 77
石城懷古 77
秦郵舟次 78
渡揚子 78
燕子磯 78
王丈碧山招遊桃花園 79
雲 79
寄子青 79
石莊遇吳鐵厓茂才以先世墨蹟及秋燈課子圖索題各系絕句 80

題王養吾摺扇 80
象輿洪店題壁 81
水退過河北 81
利西從伯訃至 81
十九日午時拜發節孝貞烈總册即題底本 81

十六錢研齋詩集

南清河萬　鏞杏邨著

雜詩七首

人生貴習靜作容塵事稀况居畝畝中身世為皇羲春鳥鳴東皋夏麥生西岐秋坪豆苗秀冬日雪花滋忽忽不知節田家有四時相見盡農氓酬答皆耘耔偶然出門望落日牛羊歸

主人種樹千輪囷半不識徙倚綠陰間間情亦自適置身作棟梁栽培爭寸尺生計豈十年名節在松柏讀書秋林邊放歌海天碧

蠛蠓當門舞不敢偪朝暉蝙蝠向晚出側翅避人飛陰蟲
感氣化消息有先機螻蟈亂清聽壯鞠揚風灰癡蠅細細
聲點綴潛污衣造物本無生所貴觀其微
英雄發名業根器原不同趋途跳正軌庸人有令終睠言
及病樹厌網蛛絲蒙百本共亭毒妨乃黃楊窮天運有培
覆栽傾視所逢
氣盛厲不侵時衰鬼相戲于理固有之畢竟自為祟人先
有鬼心揶揄道傍伺榮華厚其身吉祥悅其意一朝奪之
速區區不余畀
周公念先王晏子悲季世仰古聖賢臣勤勤為國計君曰

我無愁臣曰天有瑞封禪一卷書馬卿千大累王旦亦賢相何必責丁謂

齊容翕翕來孟子眩眩卧徒觀形迹間不免長敖惰從古聖賢心廉頑而立懦一槩同其塵風儀頓折挫薄俗笑迂儒爭欲當面嘁巖巖氣象尊泰嶽中原座浮雲不能翳緇泥不能涴康阮骨采柔驕矜是以過

詠古三首

項王疑范增增乃發背死項王信范增增亦無生理致身不擇主謀國不知幾但張匹夫氣輒冀天子師陰準自馴龍重瞳自猛虎龍馴忽翔天虎猛終委土鴻門碎玉斗空

學屠龍手
陳壽居父喪疾作婢摶藥阮簡過浚儀偶然食黍臛清議
不敢寬朝廷頻顯擢步兵太猖披酒肉自為樂未知奕棋
時真心誰繫縛正始有清風千秋痛浮薄
嵇紹濺帝衣懍懍有生氣可惜廣陵琴一曲無人嗣忠孝
難兩全君子滋後議王裒讀蓼莪人心有真涕

白雲

白雲行空際淥水瀉前軒物我兩無意相適成因緣雲行
不可極水瀉生蒼煙

放言

朱顏既早謝白髮日潛滋春言少年境歡樂曾幾時西流
落東海夕照生鼉曦我有駐景藥可療鸞皇飢青霞被天
隗玉女投壺嬉捨之棄人世梯雲恐險巇罡風會顛倒翔
游榑桑枝置身非不遠力倦終難披感此悽我肌荒園事
耘菑隨化理素業仙俗徒云為

冤婢行

生小良家女亦望結婚姻家貧少媒氏出身粥朱門朱門
輕薄兒調笑豈無恥命賤復何言落花園溷底敲扑尚承
恩拂拭翻切齒有情不敢陳有淚不能泚一朝化冤禽訴
與仁人理拙哉禽無知朱門有厚貲

感時篇

太白歌古風發源陳伯玉感遇與離憂騷雅直再續方今泰階平萬物蒙亭毒珊枝貢秦川珠顆搜越瀆膏露秋楊芳和風春振木翹秀荷匠成茅茹幾幽谷時會偶未逢恩滋均溥渥抱材副元功獻琛羞象目經濟在畎畝文章用亦足積潦無本源過情君子辱堅苦務修名阮公何痛哭

歸哉嘆

無端滯金陵一日決歸計欲歸且無歸暫向東家寄到門剥啄輕入室聲音細借榻蹉跎眠心事終宵縈 一解

東家婁孚堂相招共一舟渠尋閶門雨我問瓜洲秋分襟

北固山灑淚長江流解囊二貫錢感贈思悠悠 二解
夕陽動旅愁徒行五六里來登榷酤樓楊大裳衣掎問我
來何遲蕭蕭一行李羅酒慰征塵明月寒潮起詰朝掛輕
颿送我揚州市 三解
揚州好玉簫懊惱行子耳府帖急拏船船家我與爾橫陳
長相思燭滅關河裏枕席小風聲夢魂何處止 四解
孤鴻叫長空飛鳥亦少侶客從何方來□□□□處遵道我
皇家丁漕艘津梁阻不棄君子交共君江湖語 五解
洪湖壩口開邵湖隄頭漫可憐稻麥田波濤聲浩漢汗野航
兩三人理棹斜陽岸感時十月中行行喟然嘆 六解

好風稱人意連日東南來舟輕帆戒滿葉葉浪聲催十里

五里過儂指數亭台向夕不得泊巨艦當頭猜七解

三宿抵淮壖叩門詢舅氏舅氏道汝來容行何如此奉手

說平安得歸亦已喜相招素心人懽見二程子八解

程子向我言暫時匆分手記得賃齋遊梅花香撲酒三百

六句中聚袛一宵有剪燭話西窗為君觴一斗九解

平明辭板閘短棹指清江遊子反故居感觸心㦛㦛兩凡

怪信怚從女驚顏蒼我問郎墓存秋水曾否傷十解

鄉人聞我至執手話行踪社友聞我至灑涕懷秋風秋風

亦已矣行踪又匆匆親故不盡意看取雙魚中十一解

渡河慘慘風嫩日雲邊曉攤錢策蹇驢途長意難好渴飲荒村漿得食遑求飽髀肉痛不禁趁程還及早 十二解

十三發江寧廿三發錢集千里行轉遲百里行轉急皎皎霜月光照見征人迹歸来復何言短歌以當泣 十三解

浮雲歌

浮雲變幻無常態紛紜起滅天風中天風吹雲薄霄漢金枝玉葉丹山紅宛宛低入江湖際水光縹緲紋沖融雲本無心戀廛墟在山出山隨化工化工亦自無心運萬古天地青濛濛

曉仙

侵曉仙人起碧空玉聲戛戛鳴春風霓衣綷縩暈清露睡痕髻影雙蓬鬆金雞喔喔天閽唱殘月照見清虛宮掃床妃子曳珊帬麝馨笑說昨宵濃鵲鏡龍梳取次理飄颻戴勝相為容畫眉倩得技天筆慵拈一朵青芙蓉霞窗既整雲窗暗回身喚出扶桑紅

苦旱

江南入秋久未雨麥種數月芽未吐偶逢野老問農情但顰雙眉無復語

禹山先生五十不得就壽詩以將之

我聞常侍五十始為詩又聞坡仙五十試筆時五十為詩

不為早五十試筆斟清卮禹山先生海內望識與不識皆知之李杜文章篤常侍彼仙大筆書淋漓日讀先生四十詠高懷骯髒長歔欷二十封侯志已卜終軍不偶賈生奇三十行吟到遼海摩崕寫編關山碑豪情散落綠江水才名噪動黃金臺公卿右席定蓮社棹頭又作蕭鱸歸柴門結轖對妻子我生貧病詩能醫淮南大府爭延致況有宣公為之師（謂梅萼先生）開館竟陵集蕭范石梁春草聲華馳飲韓不必借漂母春風十載淮陰吹蔣維居處號山長文源津逮流澌澌我曾載酒問奇字樂莫樂於心相知冒雨剔燈坐忽寒披月遲說劍壁生氣衝杯頭有絲鉄簫一聲海風

疾吹送黃河東復西東復西障以隄濁浪滛滛與雲齊我望黃河不得過狂讀先生四十歌先生五十詩如何定敎放筆同東坡

歷下觀大操歌

天河西下秋霜飛太平戰士腰身肥山東行省抗燕趙元戎屹立森軍威校武場開歷山麓牙旗戢纛催朝暉我媿枚臯亦草檄珥筆且從壁上觀初演大陣火光發轟轟烈烈煙嵐霏羣校突出哮如虎驀地騰空瞬一麾兩儀三才肅馬隊騧騮駃騠駱相逶迤新增擡炮般山陽弓鳴霹靂刀槍隨蔟蔡綷縩直馳道箭無全目獮雲披齊州健兒多骯

髒翠羽在首翹枝之最後短衣肆狡獪白手奪槊矜權奇戈矛磨洗燿光彩鐲鐃節奏和鼓鼙開府為國飭戎政申明賞罰占貞師岱嶽在南濟在北折衝慎守屏京畿

過漂母祠

一飯非難事英雄落魄時茫茫湖水濶寂寂釣竿垂窮餓翻長嘯炎涼只黯悲那知巾幗女千載有荒祠

哭許錦攄師

夫子棄雲去淮山失導師登龍三載幸相馬一生知矩法歸先正文章忌騁馳傾談盡肝膈韓李未堪奇

山子湖泛月二首

湖水三篙漲扁舟一葉輕星從波底見人在月中行綠樹迷村渡清風遮晚更支窗思掬浪陽浦起簫聲雪藕紅荷路迎涼白鷺家溪光澄一曲漁火點三义今日流如是前生認未差櫂歸饒逸興清夢落仙槎

渡京口

瓜步潮初落乘流促渡江風狂帆腹緊艇側水花雙忠信輕危浪江山入小窗波雲千萬疊壓徧木蘭艭

以言從子入學短句致意

族自南康著移淮十世餘門非高駟馬澤鄒衍詩書衣鉢新傳子躍瑜冷生予英年思遠到泮水此權輿

丙寅九月三日為先君子三十忌日感賦一律

百五十三日惸惸一藐孤父容難省識人說總模糊芽蘗辭根本辛酸問世途卅年又周忌灑淚發長吁

追憶四首

丙申親見背吾母正華年（時一十九歲）死節三生約寒灰一寸然老翁甘旨奉弱息夢魂牽從此焚青鏡丹鉛了俗緣

丁酉初期日號聲動一家七旬鰥父酒兩歲乳兒麻春樹四株斷（伯叔凡四至此俱亡）秋蘭三畹芽（予同祖兄弟三人）鬱雲停屋宇鄰舍亦咨嗟

戊戌余三歲呼耶淚滿襟步移愁石滑病發感憂臨所幸天為佑從教厲不侵此關幸安度只覺母恩深

己亥應除服新衣毋予吏三年兒戲過終古父思縈欲報
嗟何及興懷切再生誦詩至陟岵掩卷幾吞聲

禹山先生批獎課卷有宇宙有數文字之語感賦一章
宇宙亦寥廓迂儒着腳難如何獎藉處不作等閒看少壯
功名熱文章道味酸春風隨地拂底事說氈寒

怡蕣先生續修權志采訪節孝家慈與焉讀之感甚
楚水司儲著青蓮第一流權書成巨手蘩節附千秋褒獎
仁心切丹黃老筆適先生早知我期許荷恩優傳末云鏞知讀書成名他日報母當不惟循例請旌已也

貧女

格調越塵俗蓬門日拚雙野花高髻壓谿水襯衣斜覽鏡疑春夢慵鍼笑綠窗蹇修消息杳祇為氣難降

子青病七十餘日矣書至感作四律却寄

涼風天外落愁思亂紛紛剝啄尺書至哀音不可聞故人多失意之子久離羣近復貧兼病蓬茅掛夕曛

湖海鬱奇氣煙雲百丈高眼空天際小興到酒邊豪濡染千秋筆蕭條一緼袍問年未三十塵劫已周遭

趺坐一燈碧斜風下短笆悶來天有恨悟到鬼無家（子青瀕死者數）

熱血噴心藥（嘔血數升矣）清香笑藕花（日食藕餘病中得句云吾閒常作藕花香）何為兒女態善病即生涯

我亦飄零着羈栖嘆踽涼𥈆君差自健有任尚堪當（前寄子青書云有我輩在諸事可不必慮）變幻浮雲貌堅貞我輩腸慰言無復語搔首一呼蒼

書禺山山長遼海詩鈔後

關塞風高處蕭蕭白髮年鄉心空海國詩思寄遼天談虎秋雲黯觀牛落日圓（編中看牧牛句云一角發聲沙磧裏萬牛回首夕陽中）莫言霜雪重杜老正籌邊（先後客梅莽大尹筠莊司農幕）

魏子詩存一卷梓成感賦

少小聯唫友何期稿代鐫百篇盡才氣兩事慰靈泉（梨棗）非難朽風流尚可傳南歸沽絜酒來奠墓門煙

梅花嶺弔史閣部

歌吹揚州土梅花嶺獨寒黃河空溺淚碧血此衣冠國事
君臣戲家書骨肉酸惟留二分月長照鐵心肝

辛未二月二十日有懷問津孫二丈却寄

不聽蘇門嘯流光近二年塵心濯茅屋道氣養芸編桃李
風吹席梧桐韻叶絃(問津善琴)夜燈深課處料得仲謀賢

暑雨經旬舍南人家盡入水中傷今思往得詩二首

昏黑終宵雨驚魂出枕邊地深三尺水竈沒幾家煙萍葉
青生市梅陰白墮天河頭添異漲無計學飛仙
却憶兒時事淫霖積水寒涉波雙足怯覓食一餐難愁苦
情仍在蒼涼景在看明朝過版牌先問外家安(時版牌東街患潦)

題兗以滋扎尾

距此一千里離家三四旬書來知慰藉情至見天真懷褱
年年牘藏極字字珍文章吾斧斲勉荷尒翁薪

還鄉

到家殊草草親故蹔相過不及寒暄語還增懊惱歎貧窮
為客久孤露感恩多何日千金祿王孫一報佗

已丑四月十四日同居停訥公達濟南侵晨途中微雨
公貲莫氏滿洲正白旗人名訥爾經額頃自漕運總督調山東巡撫濟南古齊州大清河在其北泲水故瀆也

于役不知遠鄉閭千里違單車晨氣薄細雨麥苗肥流水
尋源是漁溝鎮西有七孔橋積水既深一望無際中河劉老澗下游也舊稱黃河從三義鎮達漁溝出淮口當即指此荒村伏莽非吾縣北鄉

（比來盜賊不靖）感時還念我慈幾在征衣（予著繭袍是老母於臨行時改為者）

昨日黄河浪長風泊岸危今威敵舊好（謂丁瑞階）常侍喜新知（在王家營）

（適會榜淮安報高君士魁中式）白首游情貫青雲躡影追勞薪應自笑材分太相宜

將抵紅花埠（一作荻花鋪墩臺下有短碣書江南山東交界宿遷即晋之宿豫古鍾吾子國梅寰宇記梁天監僮縣民鑿渠溉田名紅花水即此）

鞭指紅花埠晴雲送客驂方言久淮北畺域尚江南驛路

清塵潤郊原宿潤含輸他老開士倚樹帮優曇（道傍有老僧倚喬柯間甚）

馬陵山（在郯城東北連蘭山南抵宿遷亘數百里狀如奔馬中有由吾洞白龍潭水出焉）

曾讀水經注陵山禹跡留（沭水循馬陵山入郯境相傳大禹鑿峽以平其阻至今有龍門桃浪之盛酈注南經陵山是也）龍

門三月浪海市一峯秋（孔望山石樓名望海樓在郯城東南三十里即馬陵之一峯也江南海州亦爭傳聖蹟云）古聖憑

神化吾儕久眺游棗香亭上景終遜此丹邱（前登海州署棗香亭西望此山約畧似之）

半城（過此皆峻阪相屬登頓為艱矣）

午食半城店鄉關觸旅情君方明月駐我正亂山行（半城本宿站以峒峿雨阻遂為尖站店壁有淮山張濤題詩云半城楊柳月明多客況簫然作醉歌暫把鄉關心思滯放開眼界看山河）老骨磨輪健懸崖墜石輕崎崟開道路未覺負平生

早過蒙陰縣（以蒙養山得名在沂州府西北相距二百里）

老至常無寐征途更易醒馬鳴人語作雞亂野風泠牕紙將殘月轅鐙欲曙星晴雲朝日上縣郭倚山青（左傳哀公十七年公會齊侯盟於蒙杜注在東莞蒙陰縣西北故蒙陰城也與今址小異）

庽趵突泉枕流書屋二日成詩三首（圖經趵突泉濼水之泉也一名瀑流水經註謂是泉）

湧如車輪康熙九年五月泉溢浸廬舍人畜士人云近來蹶勢減於前間亦竭伏讀乾隆十三年東巡御題趵突泉詩趵突固已佳稍藉人工夫蓋自岱陰所蓄洑流正出儼沸過頹未必純任自然

名泉七十二總自岱陰來是水尤奇特相看足溯洄坎勞無止息穴涌襍喧豗傳說堙洪洞惟三大禹開（相傳洪洞初有十泉大禹堙七開三）壁上龍蛇走吳興韻和多（趙承旨趵突泉七律詩和韻者屢矣）夕陽隱瀲灩午籟樹婆娑茗瀹含芬沫花飛散淥波雨餘添濼水（濼名已見春秋桓十八年）洽潗下清河（小清河半堙今由城河達大清河）層樓宜更上來結水雲緣煙靄參巖佛蓬壺接洞仙（南有千佛山即歷山是樓奉呂仙牓曰蓬境登之則俯仰雲水耳目一清）會當鳴玉地別有望湖天（晴為中丞行臺簪佩鏘集距大明湖亦僅一城之阻）寄廡流常枕鄉心幾黯然（夜聞泉聲與吾鄉牌湍一般懷館汪氏曾顏為枕流寄廡）

游大明湖（水經注濼水北爲大明湖今在城內西北隅一名西湖濼水繞城北流向東不入城湖受城內諸泉之水自北城水門出注會波橋遠通華不注湖光山色別有奇觀蓋與濼東流並汶入海也湖占府城三之一詳見游大明湖前記）

濼水停城北明湖自昔聞好山青帶郭遠淑白飛雲歲久葑田積流寛荻港分登臨先歷下名士復誰羣（歷下亭見少陵詩久矣或更名古歷亭今額海右古寺湖山之勝剝此已占其半）

鐵祠生景仰靖難有餘哀座對羣峰列軒當一水開（乾隆壬子初建鐵公佛公西祠右軒三楹正對城南諸山）此間圖畫意壁上勒銘才（謂楳蓉芸臺金門諸公題撰各額聯詳芝蘭室筆談）勝境應爲最平山莫漫猜（有以揚州平山堂校者予謂江北無山揚柳樓臺惜少屏障耳）

得從兄毓成書（名茂時時挈家館鍾吾）

合族論兄弟班行不見多況經貧賤役無復歲時過以我

懷於邑知君喚奈何寄書同作客秋夢度關河

獨客

獨客詄銷夏圖書半篛牀幌虛風易入人靜暑先忘碧蔭千章秀紅鱗一水長最憐新雨後沙路鹿蹤涼

月下有感

干戈猶未靖冬月一天清遙念征人苦難為戍士情寒聲金柝遠霜影鐵衣輕更有空閨婦存亡夢裡驚

次王季海州尊韵奉答

長官詩句錫感頌轉增悲冷宦憐年老孤忱向日遲權輿風化重恩例表章宜但恐凌冬樹猶遺澗底枝

大雅多宏獎羣材盡在門自甘樗櫟分乃荷斧斤恩首蓿

三冬迫瑯琊一座尊何當揚手版僚屬禮重敦

四節坊紀事詩有序

四節坊者吾三從世母張吾母蕭及邱嫂陳與周也嘉慶

庚午吾母得旌給帑建坊需之久矣會四從兄源為亡嫂

周請旌表吾並張與陳兩節孝彙告有司道光甲申報可

兄弟協力肇石鳩工遂於冬十月五日寔總建一坊於運

河南岸魯家橋東先壠之前張與吾母銜姓居中陳昭周

穆顏曰清河萬氏四節坊系以聯句云一門孝義傳今古

四節恩榮蔭子孫是日吾母帥陳恭詣謝恩昭告始祖闔

族咸觀禮焉

合爨南昌里遷淮始一支明中傳奕葉浦上更新枝巷口斜陽在橋邊宰木垂（運河南岸南巷口祖居數椽自明季至今未改）青箱多世業彤管溢風詩憶昔求官長從頭告孝慈九重憐老母六月慰孤兒旌節花開早科名草報遲廿年猶拔萃兩袖只清颸綽楔相需久私懷過望癡會當家乘箸嘅念淑嫒遺定例無能假斯人可合辭黃泉雙死節（張氏周氏）白首一生嫠（陳氏）麥飯空嘑鳩蓬廬但守雌苦心終嘿佘芬訊果伊誰意正家凡述情尤阿嫂知卅旬分破鏡半世奉親帷姜被難追矣巴臺試築之他如姑婦蹟淒絕子孫悲（陳為張之從子婦張有遺腹子茂林陳有子以文皆先亡）壼範將湮

汲貞操賴護持俸錢吾自助事狀汝躬為呼籲邀同族都
俞下有司論情非慶典維義重門楣聖旨恩汪濊鄉閭衆
嘆咨白金須大爺烏烏動前思獨力功難措于宗體寔宜
一門無羼錙四節總超奇婦姒殊昭穆高低序長畀先人
邱壟畔冬令雪霜時葺石山靈佑鳩工哲匠治落成直指
顧董作幸肩隨兄源前守銅沛營昨歲告歸幸得共謀是役左右窯金闢丹黄色競滋
史家稱合傳名氏看豐碑日月光輝朗絲綸誥披不才
衷悃遂敘格俗休疑諏吉榮旌喜朝天命婦衰蟒衣羅跪
拜鶴髮暗漣洏鼻祖先祠祝心香共酒卮是皆沿舊德益
自式今規後裔千秋守餘芬列女師清河清似此佳話徧

江湄

春花

駭綠紛紅費剪裁東皇故遣百花開晴雲淡沱金鈴繫夜月深沈羯鼓催人海真成香世界鳳城無數好樓臺芳菲乞藉風姨護長此春光落酒杯

夜吟簡王大

小坐茅齋啟卷囊青燈閃閃案生光加衣不覺寒先到遲睡還因夜已長伴容蛩聲鳴近戶窺人月色下垂廊起来悄向閒階立清味思將寄于陽

寄懷闕蘧樓先生

廿年師弟一氈寒研食東西別淚彈海上蕪荒歸錯毿惟
前風暖說平安焚香但祝南豐健賭酒何如杜老寬聞道
考亭重講學昔時游夏及門難聞先生明年設帷宋宅前十九年予從游處也

韓信橋

楚漢全隨逝水流危橋猶自記韓侯腰間劍壯英雄膽胯
下人低國士頭市井何從窺偉抱廟堂畢竟藉奇謀子房
進履曾垂蹟共付千秋信史留

張蘊珊孝廉招賞牡丹即次其尊人蠡秋山長韻

韶光買得抵千金況有名花壓帽簪第子堂前分坐久旃
檀宇下護春深莫言富貴成泡影且把芳菲悟道心鎮日

清談無个事香風入齒助高吟

望甓湖

萬頃蒼茫一巨川不分明處水雲連氣吞洪澤蒸秋雨影
帶江濤上曉煙可有大珠明蚌渡最多微舸試魚筌年年
稻畝隨波沒村落欹斜幾喟然

夏初偕及門諸子寓郡城呂仙祠讀壁上沈漁隱四
律頗欲效顰因俗塵匆匆未果也茲閱禺山山長
南歸集有和作爲之神契心憶前境補撰此詩

一角湖山入座青輕裝襆被此間停悵無鶴唳消殘月時
有蒲香去短亭古壁燈昏鐘韻落匡牀夢杳夜風冷曉來

正擬抒清尊多少新詞上素屏

蘆花

一聲葭葦颯西風露重沙寒幾處同兩岸冷花新雨後半江秋水夕陽中疏痕只合邀霜月餘豔還堪隱雪鴻最是晚來洲上望舵樓吹火亂漁蓬

九日作

春明夢久費商量何處登臨一問蒼九月花寒開笑口十年心苦折回腸滿城細雨紛秋影遥夜疎風擁桂香覓得霜螯堪左握紅燈緣酒話護堂

落葉四首

怪底西風日夕吹看將洒落到踈枝浮生海内誰根柢縱
跡天涯自別離廢苑寒苔辭客後孤燈永夜耐禪時閒来
幾點蕭蕭雨不必安仁也湯悲
偶因小謫墮人間世事沈浮淚黯潸亦有清聲歸逝水那
堪殘夢反荒山十年慣憶遼城戍萬里空憐楚客鰥如此
情思了無著忍教一葉去柴關
春颸噓拂想依稀逐漸飄零滿目非境地知寧需末路風
霜鍊即是真機空林澹月鴉鶩木古寺斜陽衲掃扉嗟莫
淮南勞問訊昨宵有鴈洞庭飛
渚青沙白杜陵愁我亦登臺獨感幽冷驛何人依大樹蒼

江有韻入高秋新添遠近炊貪竈露染青黃泣敗垣 莫道乾坤都棄卻一番作用藥籠收

示外弟蕭醞之及門

燈下披唫落葉詩斷橋流水耐人思騷壇幟建知他日文陣師雄盼及時自古高譚多抑塞況君弱冠正瑰琦學焉縱是情相近事業寧惟幼婦辭

禹山先生以詩見簡走筆酬疊元韻四首

江館雲煙筆墨驕新詞逸韻雪天寒黃塵世味尊前淡碧海仙人夢裡格知己壯憑三尺劍破寒清作一聲簫窮愁且莫煩胸臆冷暎無端只半宵先一夕暎極不三鼓而寒飆侵枕矣

敢附貧賤浪輕驕調嘯林泉自廓寥短搨但分名士座長
安奚用貴人招卅年孀毋加餐飯一室荆妻叶奏簫為謝
乾坤能廁我蓬廬風雪讀書宵
嬰武才高意態驕千秋道合甚寥寥身無崖岸天涯遠氣
若淵雲海國招侑酒何妨閒叩缶攤囊慎莫漫吹簫世途
經眼恒如此滅燭觀懷笑靜宵
春明譽滿馬蹶驕恰有閒情對寂寥數載懽逢流水契隔
年悵絶杏花招先生將赴春闈寒江獨釣孤村雪帝里高聽閬苑簫
看取藥籠應念舊新詩絡繹讀深宵

酬次湘南見懷韻

峭寒無睡耐深宵賴有音書到詰朝大地雲山思賤子滿天風雪仰清標功名共付紅羊劫生計空餘綠酒瓢暇日扁舟來故土狂呼幾輩鬥羹調

寄懷毛子喬即次其題家慈旌表元韻

指日春風杏苑開探花人踏古豐臺文章宮錦憑鴛度姓字泥金待馬來滄海珠遺容我拙（時予見黜）班行秀出仰君才相思毛義情無極天外瑤華讀幾回（子喬新寄尺素）

莽莽風塵十丈氛天涯何處訪休文（卷出睢甯今沈侯）功名早歎春秋逝賞識偏勞玉石分笑我黃楊當閏月憐他青眼落浮雲篋中感遇篇裁就惟有心香祝使君

寄懷李怡蓀先生 （時先生被逮秋曹）

六年清夢繞宮牆，珍重魚書沐手將。定武銀鉤藏篋笥，謫仙綵筆戔琳琅。（丙寅夏先生手書自天津見惠，丁卯春家慈節壽復寄詩來）銜恩兩世中天月，頂禮三生北斗光。安石東山應再起，權時小劫度紅羊。

戊辰六月初五日秉鴻兄書至愴然有作

骨月飢驅十數年，時荒水亂更淒然。祖宗邱墓空惆悵（余家壩開先塋被災），兄弟身家任轉旋（予答書有時難水荒兄弟莫保洒淚而已）。生死未分肝膽碎，別離無定夢魂牽。杜陵從此成飄泊，河北江南一涕漣（予將請居停舟奉母避患，劉兄攜眷避河北世父處）。

家母節孝事蹟鐫成一集喜賦

卅載冰霜護壽萱清風落落動乾坤九重春色恩頒誥四海名流惠贈言却顧白袍烏有淚先登青簡墨留痕從茲管煒編長在記說淮陰節母門

雜感用蕭梅生寄懷韻

出門雅自重交游世路崎嶇過眼留鶴在樊籠常刷羽螢唫屋壁不成秋升沈有定天難問歲月無端水湧流杯酒疎豪無與語異鄉王粲獨登樓

無題四首

畫閣層層護碧紗東風吹暖麗人家香焚寶鴨留晴篆酒窨金樽暈曉霞雲鬢睡餘慵漫整黛眉褪處尚輕斜日長

心事無依倚簾外春深聽落花
黯黯紅窗悄悄門簾鉤落日又黃昏繡牀依舊芙蓉捲翠
釜還教荳蔻溫錦瑟年華憐月影玉樓歌舞記燈痕相思
欲理文君曲何處鸞皇覓夢魂
縹緲凌虛到蘂宮花卿簫史笑融融蓬壺雖有千重隔牛
女何難一夕通天上桃花常帶露日邊杏葉不欹風珊珊
正響琳瑯佩懊惱金鷄曙色紅
游目分明識俊才美人名士自天來宓妃羅襪驚春水元
相苔機落鏡臺楊柳自知生別緒海棠底事絕塵埃金鞭
搖曳王孫過直待仙郎户始開

燕子磯阻風

水滿蒼江荻滿洲名場歷碌又歸舟石尤風作三年惡（予過磯凡九次阻風者八）燕子磯空六代愁海上家聲遊屐夢淮南人病故園秋（指伯凡）凌晨一櫂衝波去點檢平生付亂流（逆風甚危用數族子急呼予予曰忠信涉波濤）

寄懷陳再邨前輩

江館清瀠感舊霜廿年風義未能忘分燈影落三更夢投轄情深一甕香（予十八歲再邨招同令弟正夫夜讀求定軒酒食之豳蓋不可算云）賤子攜家唐杜甫先生几坐魯靈光不知擅行還如昨榻為賓朋日幾張

登沭陽城樓

邑小城依夕照殘海風吹上客裘寒闕山不險登臨易戶

口無多保聚難鄒魯昔年流教澤淮黃何日靖波瀾徐揚襟帶成形勢莫作陰平僻壤看

思鄉

少小孤貧槖硯游別離鄉邑幾春秋比隣宅第多新燕人事滄桑有故侯花放每思鐙下酒月明空倚海邊樓年來只賸清宵夢芳草淮南一去留

題李屏山安居娛老圖

人生第一是安居老去尤須樂有餘梧竹四圍風簌簌亭軒幾處月疎疎放情好景晨中酒側耳雛聲夜誦書媿我六旬兒兩歲冷官尚未賦歸與

偶以舊作楹聯倩劉隱南張紫庭兩廣文各書十四字懸之廳事因首尾加二十八言足成一律

老去辛勤少苦酸六旬閱歷汨汍瀾駛風我順來舟逆看雨居安行者難（此聯二十餘歲作隱南書）家計總虧機局小生涯終感世途寬（此聯五十七歲病中度歲作紫庭書）平生頌說如斯耳留與兒孫仔細觀

簡蕉林外史

風塵歷錄負平生老去唯餘古性情南郭自慙吹已濫東陽何幸調同賡佳文片石歸舟重（君製長序見贈）敝帚千金覆瓿輕（以拙箸奉教）冷泪未妨知已洒雪牕晴竹響琤琤

月夕獨游池上

收盡浮雲斂盡風露蟬不噪有寒蟲秋於僻地生時早月在高天望處同老樹倔強千古上青山奇絕兩眸中蒼茫池水庭階靜悄立誰知一老翁

讀山東省府州縣各志偶成長律一首

蕭蕭秋樹憾簾櫳方志如城几桉崇巘輔雄圖當臂左海隅阸塞抵遼東百年俺忽來千里終古興衰盡此胸臆外禽魚供俯仰湖山可是主人翁

秋唫十二首雜亂無章聊以遣興此十二律大率感時事寫懷抱顛倒出之或不乖於風教也杏村自志存後六律

鬱律輪囷指大東安輿東奉海雲紅攙槍一洗爭獃矢豐

鎬千年想掛弓扈從人懷樞直近覃敷恩佇詔書崇露華
深與方瀛似鎮日睎陽羨倚桐
終始儒冠稱此身南歸且自過江濆倒持手版初畢禮冷
上頭銜至廣文可有一椽容就養羌無三絕繼遺聞等閒
莫作衰庸處安定蘇湖迴不羣
憶昔名山學蔣維秋風海上屢淹遲青山高詠移舟訪白
石雄文按劍知到我憐才能有幾送人作罷笑伊誰近來
參得龍蛇說形見神藏妙轉移
底事悲歌欲碎壺分明終竟總模糊紫英被露香難秘黃
葉當秋運已徂江上琵琶商婦老越中驢背播臣孤紅顏

白髮成青史末路戲歙計太迂
蹉跎壽補恐徒然房屋何從惜盛年於世涓埃皆自效得
人章句已能傳名心未必非魔障文字終應悟夙緣小硯
一方為石友娓君聲價不多錢
狂捲詩書漸可歸到来半載念親闈白雲亭邇凝神遠碧
水池深結契微塞北賓鴻猶落落濟南客燕早飛飛只今
獨鹿鳴秋草草野相思繫暮暉

三十日紳士何雲伯孫酉山汪省齋吳茘棠公餞即
席志謝用茘棠壁間原韻

紅桂庭前共舉卮（紅桂花館茘棠新居）八公强半鬓絲絲（座上有錢香陂李小蓮潘散木諸君）餞春

此日宜中酒惜別深情更有詩（散木雲伯茘棠俱出長篇見贈）花氣四圍遲客話襟痕千點耐人思扁舟摇曳淮陰去記取黄鸝坐久時

庚申闈作錦攄餙閱之稱賞報罷後相對泣下感何如之

曾從蕊榜證通津決到科名利鈍神猶奈黄楊今有厄翻疑青眼相非真文章未必皆回命窮達由来不屬人最是汝南揮老淚作何圖報九方歅

書禹山南歸集後

挑燈疾誦先生句此事才知別有真宇宙填膺空等輩江山入筆助精神青衫何必非名士紅豆由來屬韻人竊幸

師門容立雪打從僻路問通津

留別秦興士紳

東陽敢説即桐鄉錄別先教淚數行三代民心忘毀譽廿旬師道尠文章 去冬簡拾談藝來者何松徠沈漢池朱煙師榮棠李書田蔣寬六人 庭前竹樹添新節檐際棋花發古香冷暑皆生頻回顧叔孫猶是舊垣牆

堂皇西广榜存心 獨居小屋倩舊雨劉隱南書存心二字 獨容儃佪看影衮市上豬肝難免累袖中羊筆却無侵 南俗通行畨元賄賂則曰羊筆予素介介不向有司干求一切來者拒之

權輿風化為官守坊表恩施越古今竊喜是邦人踴躍潤松巖栢總森森 秉旌一案采錄節孝貞烈共六百五十八人口

別有皆秋泣餒而貞魂亟與入崇祠姓名七百丹黃列 秦興節祠

自明迄今粟主僅三十九位廸購白木一律補齊並彙旌各姓氏粉面硃檔共七百十八名鉢山及予共立聯額三副於仲春五日致祭
聯楄三重棟宇垂署縣務ク炳煒司訓張公
亦祇私錢完典禮並無實政及孤嫠就中
從祀終虛擲掩卷長吁隱憾遺縣志及呈報有未便請旌者十五人反復思維擬從祀西序已備位出示而輿論異同只得注銷
官吏同心亦大難清勤留得一錢看蔡吏喬年承辦彙旌補位两事殫竭心力今年元旦有饋以筆金者吏誓不受然俗云利市僅取一文存之
人無貴賤擦先厲志果精堅事不刋桃
李春專甥憐子秀藻芹香擷慰予歡伊子光烈善書七百主位均一手寫就與次子明柯予俱收列門牆科試在郡並冀入泮
一懸持贈非容易想到成勞自楚酸予贈吏謹慎懇良額
臘鼓鼕鼕誦告文拼將一念質明神去臘祈雪予撰祭告文凡六百言宣讀城隍神前
職非民社人原我邑有災祲我亦人況是循良勤撫字可

無痛癢奮諮詢臚言釆獻燈花落（秦城花燈費動數千金最為民累今已勒石永禁矣）但恐鋒車碾細塵（小軒司馬不耐代庖行將辭去）

豸節清高仰太邱官虧九仞事千秋起家拔萃科名久略分論交禮數優（觀察陳退齋先生乾隆己酉選貢前予二十四年）多士未嘗無俊及先生端不讓韓歐（清風亮節卓有人倫）孝乎曾是烏私敢錫類椽題更恧羞（先生首議楄聯即惠題孝思錫類云云）

千條流水帶春城求友嚶嚶聽鳥鳴知己數人交不薄（城中紳士如張錦堂汪乃山孫酉山汪肖齋何雲伯朱荚浦吳荔裳周鍾巖諸君及同年張惲田最得）論文一老調同賡（楊蕉林外史倡和詩還予有句云何時共一舟相友過花蕚）欣期早晚難興事萍梗東西尚繫情（此間尚有旌表忠烈勸止停棺及修復鼓樓配建文昌閣等事）只是士民齊嚮慕撫躬何以副聲名（蕉林先生跋松巢文畧云位僅學博而邑中士民

慕義鄉尚風爭先恐後
真有風行草偃之象

臨歧一事囑諸公綽楔煌煌特旨崇獨力何妨仁不讓眾
擎儘可義從同（總建一坊費不滿千及時倡舉去後拳拳）烏頭式化人心正彤管揚芳
士氣雄蔽芾甘棠我無分詩書孝秀振儒風

重過趵突泉

瀑勢疾於昔泉流濺石新垂楊無限意知我是歸人

登舟

落日向林盡淮流生暮煙挂颿指南國遊子白雲邊

月下看木蘭

一樹木蘭開春風為翦裁連宵看不足清絕月明来

新蟬

庭樹新蟬正一聲等閒歲月客中驚故鄉不少柴門柳倚杖何時聽晚晴

即事

春禽聲暖綠窗紗雨後雲開日已斜著屐園丁渾好事一枝紅送海棠花

酒家

萋萋江草襯江花六代雲山只酒家楊柳春愁自深淺曉風殘月按紅牙

偶成二絕句

壯心豈必銷貧賤後事終難定去來只有文章能自主肯將功業付寒灰

境於過後心常恐人到中年命可知但得山高水深處不妨清苦為吟詩

新街步月

茅檐撲地幾人家燈火星星上短笆笑看流螢藉風力浮光明滅路三义

偶成

數椽老屋環之水幾樹梅花別有天若个此生能到此銜杯一笑謝塵緣

立秋舟中

淮南一葉下新秋半挂蒲颿獨卧舟柔艣嘔呀清夢轉斜
風細雨過揚州

舟夜

柔艣輕搖出潤州秋颸颯颯大江流客懷一夜清無寐聽
盡吳孃水上謳

三十一歲作

眼前几席非終局堂上冰霜已卅年前度弧辰十四字春
風秋月又周天

石城懷古

虎踞龍蟠氣未消金陵山色楚天遙無情最是長江水一任波瀾洗六朝

秦郵舟次

參差雉堞近淮河城矮隄高水漲多颯颯西風吹我瘦怯尋古蹟拜東坡

渡揚子

十年六走秣陵闕壯思豪情未肯刪細審行藏渾貴解渡江一笑閱青山

燕子磯

巉巖峭壁矗雲霄江水滔滔湧汐潮燕子如能學嬰武一

聲喚起說前朝

王丈碧山招遊桃花園

漁郎底事驀來遊儘有通津任去留我亦武陵山下客碧雲紅雨櫂蘭舟

雲

出岫無心自卷舒狂飈忽地浪吹噓不如收向空山去霖雨蒼生用有餘

寄子青

白首交情曠幾人江湖放眼淚紛紛茂陵秋雨知無賴鮑叔天涯獨有君

石莊遇吳鐵厓茂才以先世墨蹟及秋燈課子圖索

題各系絕句

一棹迂迴訪故人（謂朱秋山）石莊秋水碧粼粼就中篤雅延陵子

先蹟相逢信有神（是軸得之出於不意故茂才愈加寶貴）

吾母當年太苦辛紉鍼課子繪圖真（予為先旌節蕭太孺人請題奏有孤兒展卷寡母紉鍼草屋一燈終宵相守等語嗣倩盛廣文大士畫求海內名人題詩詞共得若干首）到來雉水逢今雨捧出慈型益

愴神

題王養吾摺扇

此別淮南又隔年相思況爪倍愴然文章滿載青箱去黃

葉秋風手一編（時以尊公青箱雜著屬鐫校訂故云）

象興洪店題壁

白雲漠漠雨瀟瀟跋涉輪蹄百里遥明日一帆春水上好
風吹出太平橋象興月堤有太平橋

水退過河北

麥田低積三分水茅屋斜開半截門為屬波平莫兒戲斯
民憔悴不堪論

利西從伯訃至

南北睽違動客懷十年未見訃音來傷心一世長貧苦纔
可舒眉又夜臺

十九日午時拜發節孝貞烈總册即題底本二首存一

曠典殊恩頌我皇彙旌奏議自柴桑道光七年陶雲汀先生撫吳始奏准小臣況

是孀霜後敢不援羅入總坊

卜

先

宋

碑

竹

文

籍

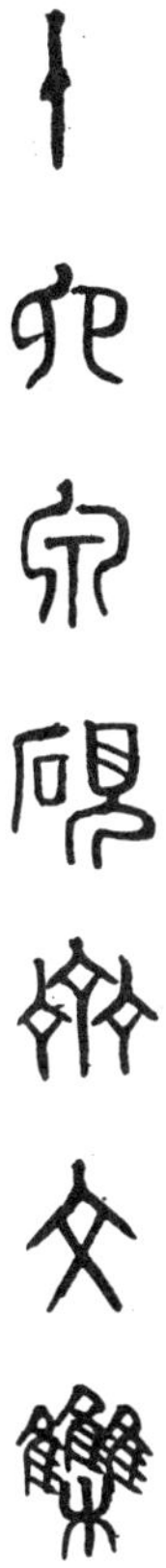

十六錢研齋文集目錄

蔡邕不黨董卓辨 89
貞女合葬議 90
論文 93
論詩 96
南清河肆雅錄總序 100
琴學四種後序 102
清江浦萬氏族譜序 105
一錢會序 109
淮海倡和詩鈔序 111

和易堂詩存序 112
黎勤襄公遺愛錄跋 114
黃浦肄雅錄跋 116
悟石齋詩鈔書後 117
周明府聽松圖序 119
常熟教諭許先生傳 121
范嚴二先生傳 126
再村陳先生墓誌銘 130
文學魏君墓誌銘 133
從大兄覺人先生行略 135

魏祥傳 139
記王蘭谷先生事 141
書陳斗事 146
朱母李太孺人行略 147
周貞女傳 150
婁烈婦傳 153
蔡烈女傳 156
嚴孝婦傳 158
賃齋記 161
康太僕遺蹟記 163

遊大明湖記 165
遊大明湖後記 168
十六錢硯記 171
漁洋先生祠記 173
重建文昌閣碑記代 177
遊隰西草堂小志 179
贈陳正夫序 181
方靜塘先生七十壽序 182
復芝雲廣文書 185
與王孟帶書 189

華母哀辭 192
四從兄赤城哀辭 195
陳漪亭先生哀辭 198
祭胡丈文 201
四從兄柳崖先生哀辭 202

南清河萬　鏞杏邨著

蔡邕不黨董卓辨

嘗讀後漢書蔡邕傳竊爲之掩卷而悲也夫感懷知己邕固有之而規正辟邪之念亦未嘗不時時在抱方未就卓聘遠迹江南固無意乎功名及卓強之迫之厚遇而亟遷之此特奸權牢籠之術固不足道迺卓擬稱尚父邕諭之輒已卓僭乘青蓋邕諷之輒易言聽計行卓固心折乎邕者也所謂士伸於知己非乎然且語其弟谷曰董公性剛而遂非終難濟也則是委蛇於卓之庭者乃其挽回匡救

冀得効忠漢室而無背乎金商對事之初心者也豈徒酬其一時之恩遇哉使其徑遯山東不為弟言所尼則善全之智得矣特斷之有未果爾若夫王司徒之坐邕也當時薦紳已識其冤矣則邕固不失為賢者而後世論者鄙之如楊雄馬融豈其然哉昔者冉有為季氏宰孔子初無責辭及聚斂與謀乃惡其黨惡仲路食輒之食孔子終無貶語及結纓與難且泣而覆醢可知潔身去亂之義固聖人所取而還就以匡時委曲以行道亦士君子不得已之苦心若蔡邕者羣而不黨聖人之所亟亮也

貞女合葬議

世之冒不韙以遂其志者莫貞女若矣女未昏而以節聞於禮為過然君子卒亦不之非豈非以其志之苦而為人所難為哉有司有獎厲之責朝廷有旌表之典嗚乎亦可以世教矣然而有議焉嘗讀曝書亭集見其有書桐鄉戴貞女事又見其為山陽高昂聘妻蔣女作原貞於戴則通嫁殤之變於蔣則守嫁殤之常斷斷者其曷以定乎始固不能無疑既迺俯然曰夫言豈一端哉亦各有當也戴之弔其夫而居焉事夫之父母則女有婦道撫夫之嗣子則女有母道予之合葬所以全其為婦為母也蔣之弔其夫而守焉未嘗依夫之室則不成為妻未嘗事夫之父母則

不成為婦斷之不合葬所以全其為女也然則世之見以為是而無乎不是與見以為非而無一不非者皆不知禮之可以義起者也今夫女之貞也貞其志也非貞其葬也志之不可以變是故有貞而烈者矣身且不恤何有於葬而託為冥昏之說者往往不諒貞女之心即不忍貞女之節謂不合則無以慰孤魂妥幽靈嗚乎厚則厚矣於貞女之志亦終未觀其深也由竹垞之論觀之其必全乎婦者乃可以權乎禮不然毋寧葬于母氏之鄰而大書其表石曰某貞女之墓豈不懿哉豈不懿哉或曰貞女弔其夫矣于夫有妻道何不可以合葬與應之曰壻未昏而死女於

禮有斬衰而吊之文既吊而字不失為女吊而不更字則女之獨行其志也夫豈斤斤寘合之誼哉或又曰子之姻劉貞女則祔於沈氏之墓子之族萬貞女則擬祔於張生之壙張且下殤此何以稱爲應之曰劉固撫沈之三歲孤而底於成萬亦事張之父母而育其嗣子正竹垞所謂通嫁殤之變者也近世貞女大抵留守夫家其遂母家者蓋少是即有妻道矣事翁姑撫子女必有一然者死而葬於夫之阡或亦易所謂男女暌而其志通者乎則又有不必合葬者爲

論文

古今論文者莫要於辭達一語夫聖人之所謂達者達其理與意而已苟立言之不悖於理而有以見吾之意則行遠垂世無遺憾焉周秦之文尚已二漢訓辭深厚有三代遺風魏晋以降至唐而奇恣至宋而醞藉明人氣體漸薄而尺寸榘矱有不失先民者雖然文以明道無所謂法也當其心有所欲言遂言之可也心無所可言遂不言可也是故古之為詩者非有漢魏六朝三唐兩宋供其誦習也惟其情之不容已與辭之適然成或長言之或嗟嘆之工與不工傳與不傳並無容心焉三百篇之所以獨有千古者其以此也文又豈有殊哉且易不云乎修辭立其誠誠

者實也得其實灑灑千言不為多寥寥數語不為少而世之所謂起承轉合繁簡詳畧之法舉不足以定之矣昔陳承祚上忠武文集云皐陶之辭簡周公之辭繁皐陶與羣聖共言周公與羣下矢誓故也亮所與語盡衆人凡士指不得及遠然公誠之心溢於翰墨足以知其人之意理而有補於當世則世所稱明白曉暢者也夫惟有開誠布公之素而后文不求工而自工然則後之嶄至於古之立言者亦求之於己而已矣今夫韓子柳子雄於文者也然世之推韓者不遺餘力若柳則有間矣歐公荊公亦雄於文者也然世之推歐者不遺餘力若王則有間矣豈韓歐之

文遠過柳與王哉抑又聞之韓忠獻自序其諫垣存藁云以理為主以至誠將之於乎古之立言而遂以不朽者蓋亦立乎其誠而達乎其理者也

論詩

詩與文不相若也文主理詩主情說理之文抑揚倡歎未必不得乎情之深言情之詩惇厚和平未必不得乎理之正然古人有言文飯也詩酒也同出於米而食飯者飽飲酒者醉則詩與文之同不同蓋有以辨之矣予前作文論甞及乎詩及與天長程先生書亦畧宣其義而總未發撝其說期於辨去古今之惑如此夫古今之教人以文者曰

學秦漢曰學唐宋教人以詩者曰學漢魏曰學盛唐其說非一人其傳非一世辭而闢之不揣甚矣然愚以謂文容或可以學論詩則斷斷不得以學言何也文主理欲求其文之不戾於理非本之六經以正其學參之諸史以擴其識及覽子集雜說之恣奇誕衍不能充吾文之波瀾意度而詣乎其極詩則不然今文尚書曰詩言志禮記曰志之所至詩亦至爲許氏說文曰詩志也劉熙釋名曰詩之也志之所至也興物而作謂之興敷布其義謂之賦事類相似謂之比言王政事謂之雅稱頌成功謂之頌隨作者之志而名之也夫志者心之所之也而情者性之所發也喜

怒哀樂之存於性有物爲適相感而情遂發而爲愁苦懽
愉之辭或節短而韻長或文煩而義見初無所謂易好難
工也蓋未言之先非必欲言既言之亦非必欲其言之工
與好也善乎周櫟園之論曰詩以言我之性情也故我欲
爲則爲之不欲爲則不爲原未嘗有所勉強督責而使之
必爲詩也朱竹垞之論曰古之君子其懽愉悲憤之思感
於中發之爲詩今所存三百五篇有美有刺皆詩之不可
已者也夫惟出於不可已故好色而不淫怨悱而不亂言
之者無罪而聞之者足以戒由是言之必謂漢魏之音古
學之可以厚盛唐之律高學之可以雄晚唐南北宋元明

舉不可涉其樊籬是直以漢魏盛唐作者之志為吾之志而吾之情不與焉則亦無怪乎世之為詩者偷格律沿流派言景狀事月求之聲調字句之迹而忘其好惡勸懲之真不已惑乎或曰孔子常言誦詩矣又兩言學詩矣吾子云何然誦詩者達於政長於言人情物理之原在是而小子學詩之益亦正資之以為興觀羣怨事父與君之情乃於詩求其是非得失之義而非必效其篇例體格也白虎通德論云學之為言覺也悟所不知也惟義理之未及知者即古人之陳迹求之以開其悟為耳矣即以為文言之孔子曰辭達而已矣易曰修辭立其誠韓子云惟古於辭

必已出然則文與詩雖其旨趣流別之不同而同歸於達辭立誠而已矣史記曰詩以達意即其情之所欲言苟足以達而止而豈鬥險搜奇襞積雕繪然後為工哉而況古今之摯於情者則又莫不工於詩也

南清河肆雅錄總序

嘉慶戊午予館山陽之版牐鎮奉稷臣舅氏命來課諸外弟適楊文向華以新梓淮山肆雅錄見示受讀一過俯然曰吾縣亦不可無是歸而請諸鄉先輩僉曰然卒以故老所藏本未備且分撥疆域未久不能不有待將來也嗣是得里中劉氏本再得河北周氏本並盋池山王氏所鈔山

陽及分縣後本一總度入巾笥三十年湖海浪游川途險
歷未嘗束閣不觀作事有興會書成亦有其時是編雖不
以事辭勝然韓先生夢周序淮山肆雅錄不云乎其文字
近官寺之題名碑而為用直比於史書之表與志況吾縣
派合新舊隔閡視邵城文獻缺有間矣即先後所求得各
本劉氏但紀歲科試生員等第周氏始附載入學弟子其
中罣漏多亦僅至嘉慶庚申止王氏與淮山肆雅錄略同
分縣後案次尚脫落去冬同志王子浩趣予予遂發篋付
之屬其別擇並查學檔補綴於後王子信人春果報予第
五冊所列是也頃米山左參互考校迺為略例與諸小序

彙錄藏事冬旋當可壽之棗梨抑予更有說者吾縣志於乾隆庚午纂修迄今八十年河淮載更耆舊不作沿革登耗之故文學政事之存移治以來冠蓋節鉞不後省垣曩奮孫二丈書詳言之矣前少溪丁丈義舉甫商事與時阻兩先生俱七八十公予又衣食於奔走歲僅一歸省有賢士大夫[illegible]典獻民上作而下應是編或吾縣志之嚆矢則小子之所欣幸而企望者豈有際哉道光九年己丑秋七月朔縣人萬鏞撰

孫氏琴學四種後序

清河孫闇津先生著琴學四種曰琴鶴曰琴旨補正曰琴

譜拙存曰琴況二十四則先是以琴況一書抵沭陽示予點勘已又寄其前三種来蓋先生知予之深而並索予序也予惟四種既各自序之矣同學蘇先生又弁以總序其於書之緣起義法及先生之學識性情固詳哉言之無得更序乃綮辭於後而為之跋曰琴之為道古矣亦尊矣宓戲削桐為琴象天地尊卑八風四氣五行之屬有虞氏用之以解慍阜財孔子遊於緇帷之野坐於杏壇之上絃歌鼓琴而聖人如見則八音惟絲竹為最要而又惟絲為最初且亦惟絲最雅也後世古樂既亡聲律迄無以準於是儒者高談義理率以器數為糟粕而考据衆又或詭言器

數舍其本原而鑿空求之則又烏覩所謂道與器俱哉而琴學亦遂不尊矣且夫琴之不尊非琴之失也工師操縵執伎事上固已自太史公稱騶忌以琴見齊威說而舍之右室无而效之者往往負桐君以遊而王公大人之側輒泠泠有秦曲士也嗚呼是豈琴之為哉先生素履愔愔於琴適中富貴聲華舉不足以燿於懷而惟幼弱壯艾一於琴拂彼白石彈吾素琴蓋有古逸民之致為然以予觀古之士夫高淡莫如陶公而蓄琴一張絃徽不具則又奈何不解於音也然解音如嵇康賦琴累千數百言洞穿律理而廣陵散敗之幾乎息矣且其嬾放踈弛則又不如蘇先

生所云與琴合德者矣先生惟尊貴其品而格物尤邃故能以義理貫通器數為琴學延一綫之傳然則後之讀孫氏四種書者其必尊先生為古之有道者也嘉慶十七年十月十四日邑後學萬鏞杏村拜書於厚邱之梅花庽屋

清江浦萬氏族譜序

書之有序所以序書之緣起也鏞前寓沭陽偕清江浦萬氏族譜說爰序而藏之具畧曰吾族相傳自明嘉靖時江西南昌縣有諱孟者以懋遷始居淮安新城娶於李是為吾一世祖考妣也二世諱應舉三世諱邦賢始居山陽之清江浦運河南岸草市口南巷塋在玉帶河南隄下嘗家

橋其質剝皆崇禎年月完好可識顧未有譜牒示後直至
七世諱皆同蘭若府君始就家廟栗主錄其世系生卒是
爲吾族之初譜鏞年十六應童子試過南巷從世父稅田
封君所見之蓋亦轉抄本也二十年來河水變遷族姓官
學多可記者頃府君冢孫茂時自宿遷寄本來沭陽且告
曰此先王父手澤頗脩葺之於乎傳十一世近三百年僅
僅有此門祚衰薄其以此與鏞為之大恩而愈為府君欣
幸而歔欷也夫家之有譜所以尊祖敬宗收族也此而不
存愈遠愈失後世子孫即有賢者世次莫詳其於本之所
從來支之所旁及一切蔑如而遺名犯諱異派紊宗為先

人怨恫舉不能免則族譜之作其能已乎或曰族之顯者譜之為光於祖考否則不如其已也或曰譜之作必溯其始之望者震鑠古今舍之則無以為說也然則由前之見必相率而忘祖由後之見必相率而誣祖為人孫子不思所以無忝所生徒屑屑以齷齪之見為風俗不可以為人不可以為子矣鏞少孤寡學齒分眎族人最後然讀府君書竊不敢辭其責也遂參用歐蘇遺意為圖一譜一譜仿古世表之式率橫列而即繫字銜生卒葬地妻子於下文省而檢甚易也自茲以逮十一世至數十百世踵而脩之皆循循有規矩竹策亦輕簡便於藏府若錄自居淮安新

城祖始鏞謹承之而江西南昌之自來則固不可得而紀
而況扶風郡望之遥遥者哉為并箸釋例若干言以敬告
族人而序其始末如此時嘉慶辛未七月三日去今已十
八年丙戌自阜寧之觀海書院奉母歸敝廬長夏雨潦趺
坐葬水閤復取圖與表加脩飾易之就質南巷四從兄
吾族存者丈夫子四世僅二十八歲時勞苦昏喪慶弔無
遠近親疏逴來良徽兄年長尤篤於古覽鏞所為私述欲
有以廣之而族人具狀來者人人有論譔其先世之誼吁
可謂孝矣遂更為體裁附以族墓志一先德略一旌表門
訓一譜疑一别録雜記各一合序例圖表為十目要而言

之清江浦萬氏族譜云道光八年歲實戌（戊）子冬十一月十二日第九世孫鏞敬書於思濟堂

一錢會序

一事之作必期經久經久之計必須矢公其始也勤勤懇懇其繼也兢兢恤恤設誠致信則人已始終一以貫之矣吾邑一錢會起於本年仲春吾友李杏圃及其小阮實甫及門范春城數人倡議協力一鼓作氣而邑中好善者亦復踴躍急公有廣為勸輸而糾合多人者有謹守會規而未嘗踰越者有單身獨任並不假邪許者歲終截數集成青蚨二百餘緡嘻難矣抑幸矣義風飈發無待敦勉吾輩

宜何如終始其事以求諒於人已閒哉杏園曰吾子作序即附刻於收支賬目之首以期垂久夫邑中應辦事甚多而大而久者莫如文廟一錢會雖作始也微而行之不十年修理有資洒掃有恒山陽至今率循未替其在學校之人乎吾輩久要不忘既勿以事之難而生畏即勿以事之易而生怠尤勿以事之成而不保其終經久在堅矢公在慎總之惟誠惟信誠能動物信則人任傳曰人之欲善誰不如我安知將來之捐輸一錢者不更什伯千萬於今日者乎勾稽嚴綜核雜舊管新收開除實存自來錢穀家期於不愆不忘而已吾輩勉旃道光壬寅十二月邑人萬鏞

識

淮海倡和詩鈔敘

別聽松明府五年矣壬午夏為序聽松園即以古循吏相勗及其知桃源錚錚有聲常有所部民述明府政蹟遂自嘆前言之不謬也明府都匀人風氣雄厚樸茂讀書亦真懇能靠實辦事故其健決敢為無瞻顧詭隨之習初明府奉檄謁黎襄勤公問尹民之學公以左氏論政寬猛告明府謂自古治術固然然挾時者莫如威信於民而使之畏而生感也襄勤韙其言明府益自信之深至今猶劬勉所為識者多諒之而予尤嘆近牧令之難明府誠傑魁人也

今春以書招予來校試文共晨夕者十餘日瀹茗挑鐙綴談疇曩泝淮濆三權昫陽一類智者之設施而神明變化卒之綏靖地方求有利於斯民一切文法式度官府規模蓋不足當明府之一瞚也實惠在人口碑載道同時士民形之詠歌予錄其詩而編之顏曰淮海倡和詩鈔非為明府喜庶後之采風者有所考焉道光六年三月南清河萬鏞

和易堂詩存序

和易堂詩存者南清河萬氏黃岡先生與其子赤城參軍希孟貞女遺藁合集也先生為吾同高高祖之世父少受

知蒙古夢午塘學使入山陽學刻意為詩古文辭與四方名儁交如唐果亭王夢樓諸先生互逞逯游衍俶儻自喜才志不羣而呂一衿終命也參軍世其學與女兄弟研書史相倡畣氣與才壹踔厲無前故其為詩眎先生尤劖削其概可想見貞女著繡餘詩草年十三適張氏壻下殤越歲拜其墓事翁撫教嗣子守節年三十有五遂卒葬吾萬氏先壟側翁家故宿豫兄公俱讀書聞人為請旌表於朝於乎難矣誦其拜墓詩四十字不忍深思不堪卒讀人生憂患從識字始貞女才節如是宜其不偶且短折也吾族自南昌來淮安由新城之清江浦二百九十餘年一門帬

屐以風雅節行名於時匪獨家史之光也族子以清褎曙樓詩鈔未覺軒吟藁曁繡餘詩草索解於吾且屬各繫以傳吁嗟是誠賢子孫之用心能不曲慰其志邪爰竭十數日心目之力稍稍瀏擇彙而序之題曰和易堂詩存云道光己丑夏六月三從子鏞謹識於濟南之芝蘭室

黎襄勤公遺愛錄跋

黎襄勤公遺愛錄一卷邑人德公之深屬鏞為文記其事不獲辭自審於公無溢詞當為識者所諒附以蘭素亭先生事狀先生晉河前襄勤公十四年鏞弱冠肄業崇實書院屆課期常謄先生狀貌聆其議論風旨恂恂儒者不知

為尊官貴人也治南河九年清勤在人心目父老猶時時追念去年為襄勤公請祀名宦祠鏞抗言於衆以謂如素亭先生於典禮亦未可缺也丁少谿如玉王蘭谷照芳諸丈咸以為然鏞遂過先生之次孫南河候補縣丞蔭槐處索取奏疏暨行狀表志若干册度諸行篋從來湖海不敢失墜今春二月鏞將奉母來黃浦遂伸紙濡墨一夕屬稿就詰朝隨諸紳耆上之當事得報可而襄勤公專祠亦於是夏建於儒學之右少谿丈書來告成事中表蘭谷丈於襄勤公德政罔用力最摯拳拳諸說鄙金屬付剞劂氏鏞遂并蘭公事狀錄而系之於乎二公用心不同同歸於實

所治不同同底於勤精爽在天名德被世區區清河馨香之報詹詹鄉曲後後生之言於二公何有哉然而物薄惟誠人賤惟忠後之觀者或有感也乙酉立秋日萬鏞識於觀海書院之崇學敦教堂

黃浦肄雅錄䟦

道光四年歲實甲申秋八月之六日吾友項君蓉村過予觀海書院出示黃浦肄雅録一編並致白金若干兩屬予迻清江浦就剞劂氏以竟其志予甚難爲梨棗之役讎校頻煩予嘗身之而知非易易也然展閱序例極有關繫其中分縣分學由来者遠戶口地畝之加士類人文之衆俯

仰百年間舉可見也於乎士隸學校學為應試文字屈信顯晦一於其道語以鄉邑因革文獻存亡或茫然不解所謂讀蓉村是編用慨然矣予是以諾之而別為之記

悟石齋詩鈔書後

鏞不肖年逾三十株守一衿不能顯揚先世徒呼負負然吾父讀書不及隸學校吾祖讀書將隸學校又裁落比不肖入邑庠吾父不可見吾祖及世八年亦復不見則尤不肖之抱恨者也吾祖生平不隸學校恒樂與隸學校人游時如陳玉盟范坦齋沈暢逸吳遜夫彭景春范經田章希齋諸君談讌之樂為多而山陽邱峴亭先生者教讀孝廉

方正方戮齋家與吾祖為石交先生性情高古不耐諧俗然常策杖自館過吾家吾家去先生館約七里日夕往還不為勞也鏞生未十歲見先生來輒告吾母吾母諳先生所飲食咄嗟立辦吾祖樓居窗北長几几上筆一筒墨一池書函棋枰兩老人相對蒼顏白髮或語絮絮然或默不語茶果酒食稱其意不復為主客狀先生安之故視吾家如家雖道長益時時來先生能詩古文散逸既多其孫輩收而梓之為悟石齋詩鈔散文附於後詩清遠無俗韻文亦落落守古人家法循環誦之蓋得其性情爲鏞往學制舉文於令子春泉先生與先生家世交好不絕矣詩鈔中

載題咏吾家花木者亦則尤令不肖慨想先世之風範於不置也

周明府聽松圖序

壬午夏五月明府周君以聽松圖問序於予予受而讀之慨然歎明府之能明於其職也今之令一方者大率疲於聽治即或克自樹立而擊斷刻覈則又不免武健嚴酷之風斯民雖愚有隱痛也明府以英儁少受知錫山顧晴芬先生補博士弟子員尋貢成均一試不中第棄去來江南治河防授盱眙丞上游倚重比歲交章以知縣薦將權桃源令夫郎官應列宿出宰百里明府之才繁劇克然無足

異而是園之作昉於疇曩空山之中藹然在抱飛濤虛籟民物通焉夫使胸中無用世之略則亦寂歷枯槁與木石居已爾不然含章隱曜槃礴山林性情所近方之遺軌不越隱逸傳中焉乎斯人不出如蒼生何明府固有所不取也且夫出處之迹初無二致古名臣未達則後樂先憂既貴則模山範水故觀異日之事功乃知前此之志趣癖邱壑固簪纓明府為之乎明府黔南人年未四十倜儻有奇氣單身走萬里挾策為當路左右而襟懷乃在峯崖浩落間噫嘻明府誠聽松與抑聽者松而天下之大斯人之眾且無所不聽與吾聞松之義古訓容有容德乃大君子容

民畜衆容保民无疆翕受敷施茹納萬有中庸所謂寬裕温柔足以有容為朝廷言也大學所謂其心休休其如有容為卿士言也一日者明府坐堂皇羅吾民於階下用周官五聲之法而聽治之虛以受人空以涵物如得其情哀矜勿喜吾知其必能容百千之情狀而一出於仁人君子之用心一曲松風揮絃而治以視世之擊斷刻覈武健嚴酷者其度越何如也明府名燾初名濤遂自號聽松云

常熟教諭許先生傳

先生姓許名文機字錦抒號襄亭行三淮安山陽人衛籍中乾隆癸酉順天鄉試由常熟教諭告歸嘉慶元年皇帝開

千叟讌詔高年碩德之士蒲輪安車用賓闕下先生年將八十矣聞命曲踊顧謂家人曰吾違京師久時時思走長安就瞻象魏今逢新聖人龍飛御極千載一時吾雖八品小臣然身際四朝犬馬齒未敢不雨雪楊柳役役二千里鞠跽呼萬歲耶爾曹慎勿以風塵勸也於是飲湛露荷龍光几鳩杖束帛荷囊之珍賞賚無算先生繡蟒垂魚鷺飛鵠立拜手稽首成禮而歸嗚乎榮哉方先生之壯也隨婦翁陳侍御大復遊學京師侍御初賞其文語諸子姓曰傳老夫衣缽者斯人乎遂女之於是飲食教誨屬望過家子弟先生亦踔厲激昂欲得志於天下迺春官數上詭得復

失卒以揀選教職食八品俸授经大江南北先生秉鐸所
至類皆涵育士氣修舉學制善衡文精邃如秦緩視病膏
肓上下按切即知如溫嶠然犀照怪洞澈數十百丈幽明
了了而利鈍得失決測奇中又如郭璞君平一輩人故经
師人師所至皆霧會及去則相與遮留不忍決捨其鐸六
安州也瓜代有日矣士人挈榼治具供帳城闉外車輿屬
至林林總總耄而髯者髦而俊者被朝衫者曳青衿者咸
直前酌酒為先生壽而朝夕步趨之徒或嗅先生鞾或牽
先生裾或捋先生鬚或奉先生手求數言為終身誦道傍
觀者皆泣下最後有聲嗚嗚河隄上先生初不意且行且

聽怪而問之人莫有知者但曰循此聲當在二十里外也先生亟推窗掉首顧當斯時山水蒼涼風煙黯淡回思舊雨殊難為懷而風聲水聲絏縴聲捩柁聲嘈嘈雜雜則見跣足蹶塵泣涕被面呼先生先生者迺其磨錯之陳生鑒也其為士子愛慕如此先生道韻平淡而褆躬以誠作官時常進諸生告之曰吾人讀聖賢書思致用也遇合有時顯晦有命然總當盡其所當為吾教職也自來為閒曹冷署非若貧不自振拔即篤老以為中隱云爾然國家設學建官凡以為士為民為天下顧名思義縱才分未逮亦必尊其所聞行其所知冀不負吾君吾學而遂虛糜八品祿

哉多士其識之且時時勖吾之不及也嗚乎忠哉自常熟歸家居不入公府長身修髯白髮朱履見者欽為商彝周鼎鄉後進來學口誦手畫獎掖不倦數年成就如彭滄張培誠皆其選也與陳夫人同歲生年七十五得一子名雋生而小字曰百五後先生若干年亦竟亡論者方之鄧攸羊祜弟子萬鏞曰吾淮文宗國朝推周徵君振采先生其高足然教人以科目文字謂廟堂之器固不宜寒儉也鏞於已未受業庚申應試先生讀鏞闈稿輒呼中日夕凡八覆視圈點淋漓曰君勿疑歸而徑告母夫人喜可知矣下第先生為之泣嘆每過從輒飯鏞食上輒視其寒溫舉箸

諄勸推載羹食盂中可感也已辛酉冬卒撰聯自挽云深自愧何德何能享上壽沐殊封幾處士民遺愛果誰肯任勞任怨撫藐孤繇世澤我生心事方安蓋實錄也嗚乎

范嚴二先生傳

予十七歲遊笛樓先生之門先生慎交遊其往來座上者則范畏堂孫問津嚴西園陳再村諸先進而已今隔越十數年予東客版腦西遊沭陽視桑梓若逆旅與當年諸老或晤或不晤思之為勞行自嗟也昨冬西園瘵亡今冬畏堂亦以肝病逝回憶笛樓先生所交好無間者零落幾半嗚乎傷已西園有子三畏堂年近五十始舉兩嗣傫然孤

也西園善遊藝傳聲射覆篆刻博奕之類一覽輒盡其巧書法初師吳興後喜蘇長公而人得其八分書及畫蘭竹尤愛重之試於有司屢第一教授所至常露會獨著述無存可惜也畏堂後西園三年入邑庠而食廩在先遂奉考嘉慶己巳萬壽恩貢頗通曉星卜雜伎最究心宋五子之學近思録一編十數年寒暑不離手著日記若干卷庋於家曰異日邑志當有取爾也予為厲再村料檢之予生六月而失怙之兒也少受母氏之教長立鄉曲之身則諸先進敦勖之力居多西園去予遠畏堂僅隔兩三家其兄鍠雅堂先生與先府君醴泉公為等輩交先府君即世頃之

雅堂先生亦亡畏堂撫其邱嫂及從女子子信至而因以
於予為不失其故也記予應童子試畏堂署保狀左右扶
將執筆繩予文佳則奬之惡則訶之比入學畏堂語予曰
是尚不足酬母節益勉之勤勤懇摯風斯古已今春就館
沭陽畏堂來送予曰言忠信行篤敬雖蠻貊之邦行矣子
子其勿忘及七月歸晤畏堂見其容大減勉慰之而心知
其不可復起別裁百二十日而果讀我畏堂自哀詩矣嗚
乎傷已再村為經紀其家闌閲津亦撫教西園少子以冀
其成吾師笛樓先生所交遊者如此則信乎亡友魏錦春
之稱西園先生善與人交相勉相讓令人風也西園諱光

裕一字耀堂年五十清河清江浦人衛籍其先隸阜寧狹
頤潤目風趣翩然際賓朋雜遝有道廣風每當春燈秋月
醵飲拈要輒抽秘騁妍出奇想妙語為諧隱四方入一時
商得者則隅簾指稱曰此必嚴西園先生作至今猶往往
能舉其辭也初貧冬著七緵单衣有徐位者過其門解吉
貝襖溫之後積館穀乃稍稍裕營拾香草堂畏堂諱鈞一
字運鴻年五十四世居清江浦貌寢而墨石目眇遇凝思
處輒攢眉鼻上聳汗涔涔下橫其手臂見者笑之少孤頗
事蒲博一日乏食稱貸於人弗得逕折節讀書時伯氏舉
文學亡母夫人痛詩書之業將墜而畏堂竟能成就知名

於時其勇決向善如此母程守節垂四十年嫂胡亦節孝俱例得旌典有傳載淮安關志魏錦春者西園之弟子也用其師教成諸生兼通詩古文辭予嘗與之一燈相對談讌亘日夕至不忍别初錦春就學西園食其粟緩急輒走告無不應故錦春感其師尤甚然家貧遇蹇至死不能報也既死西園猶出錢存其家笛樓先生姓閻氏諱鶴雲再村名樺開津曉音律隱於琴名長源

再村陳先生墓志銘

清河清江浦有五世同居之陳氏鄉先生汪君縉顏其堂曰怡怡蓋群從相友百年矣近時學者稱再村先生則約

園國學之仲子也先生少好學善為舉子文試有司輒高
等倒貢成均法司成式善琹其文以為程式然竟不第退
而治家以儉約之風先子弟其處滿也以謂先世以儒貫
起家家僅數人今則以百數鄉里誇以為盛然業不加增
吾家行坐耗耳吾昆弟子姪當自立不可狃目前之安實
受將來之困其防奢也簿正婚嫁之費酙量薪米之資斷
然不能踰絲髮而躬自刻覈受惡坐下家之人咸大悅服
入其門無詬誶聲其有不謹者則顰蹙不驩或曲諭而危
諭之子弟則又未嘗不用其教甲戌正月四日以疾卒年
五十有五里中與交者皆隕涕有失聲者及門數十人合

錢釃酒且奠且哭最後同學蘇秉國至自浙去別先生時才三月抵浦聞訃鬚髮皓然仰天長號徒步過市見者以為古鏞交先生自弱冠乾隆癸丑冬先生招遊其求定軒與先生從弟模同案夜讀先生每出與鏞論詩文時執筆削鏞槀以鏞孤貧能劬書無膏火故目之異羣少年比歲客僮陽間歸見先生接膝必移晷遇欣戚事必為憂喜至形諸色去冬為鏞償逋責時已病先生以謂朋友之諾不可宿也其生平好義篤交情類如此鏞年來好為古文先生遂以鏞之好為好辛未得鏞手札輒潰治張壁間著淮陰三張錄屬鏞校勘鏞亦以謂老友凋落為能竟先生之

志者尚有此役也先生椲字豫林號再村初號蘊衢江蘇清河人廩貢生葬有日矣敢為之銘銘曰文工遇拙命非偶也身安心危識先學也和齊家人無相咎也友天下士不呼負也匪石硜硜貞厥守也匪塵陸陸善厥後也孰是人斯不中壽也自此以往失吾友也知與不知聞者盡為而況相交之久也僉曰予文但恨不能副先生以不朽也

文學魏君墓志銘

君魏姓錦春名雨江字杏葵號子青其又號也先世為浙之餘姚人祖某客游止於清河之清江浦至君遂占籍為考諱某字在衡隱於賈平生溫溫無嫉妒色先君之卒三

年卒卒之夕予往眎乃呼君指予屬之曰此後當兄事之予為之泣君客授得穀微殯葬其考僅稱力而止然時時以養薄為憾君豐於才嗇於遇生三齡喪妣體質脆柔少長嗇咯血而氣傲兀不肯平視人相傾者吐肝膈為歡笑遇兜屑淺俗輒不借詞色為文章無所不能以才氣勝縱宕淋漓有一往莫禦之概然亦發洩少含蓄又多淒激辭同輩有議之者而君磊落自憙不為意也十七歲充學官弟子尋試高等補增廣生文譽日噪鄉先生咸重之及鄉試三報罷君氣大餒遂以瘵死年二十有八君病百有十日每趺坐握麈尾翩翩對客慷慨論事如其常蘆爐藥竈

吟嘯愈豪詠病鶴云月明清唳顧影衰寠見者哀之配吳
先卒君以戊辰七月二十八日卒越旬葬於洪福莊祖兆
之側予時于役江寧歸乃為文哭君又二年謀之同志刻
君詩一卷程禹山先生為之序先生名虞卿天長人以詩
雄海內而每稱君之詩云嘉慶十六年三月予館沭陽哀
君之遇而為之銘銘曰
粵有魏君空其等羣氣浩以振筆健而文厥志未伸所學
無聞天之厄人生不逢辰遺稿芳芬慰迺沈淪緊友杏村
来告幽魂綴此云云表百千春
從大兄覺人先生行略

兄諱鈞字秉鴻晚號覺人先伯父映彭公之長子也從曾
祖頤年公治小兒醫先祖鳴岐公傳其道有聲於時再傳
映彭公映彭公未四十即世兄方攻八比文從戊子孝廉
范經田先生遊先祖年漸老鏞父醴泉公又相繼逝不獲
已命兄棄儒術自是兄遂業醫於蘇四十年兄性穎秀通
古今立方治病平淡確實不貪人之賄世俗賒值輕諾與
夫市藥愚人之伎兄痛惡之兄為人渾渾洒洒中無城府
遇不可輒徵色發聲鄉里親貫有不誼事人或知而不言
兄獨面折而勸諭之聞者咸嘆服以為古之民也遇極蹇
先祖於乾隆丙午棄養兄年才二十四惸惸露立盆無儋

石之儲鏞母子孤孀相守兄力有不可支者斯境斯時回憶真堪泣下然兄外樸而內質得一錢能中一錢之用數十年忍苦耐貧歷盡艱辛而立身作家卒不爲時詬病豈非吾祖之遺澤吾兄之定力歟兄初娶楊孺人生一子殤繼娶徐孺人生女子四兄年四十一再喪妻決意不再娶此二十年中鰥居獨處塵俗一空每夕但以杯酒自娛常顧諸女曰吾日鬧每每碌碌勞不可言及入室晚案上一壺萬事不問矣兄量宏豪於飲近年羸亦知節好義而輕利見戚友貧苦惻然動心能用力於佽助絕不屑屑錙銖治窮人病不取其酬閒劵藥予之於家庭骨肉無厚薄彼

此迹常謂吾見兄弟析箸或爭較銀錢如某某者不快之
至但願吾弟兄相保於終耳兄待同懷弟席豐及適趙氏
孀妹俱愛厚事鏞母蕭太孺人良謹每逢生朝年節輒奉
卮上壽鞠跪稽首餘以次拜雍雍藹藹兄之教也兄年五
十有九無子竊擬天假數年或鏞生有次子當為兄後或
鏞子娶婦生孫為兄之孫明年兄六十正慶為兄開筵稱
觥以為歡悅迺以道光元年三月三十日子時溘逝奈鏞
獨子義難承繼然不忍斬兄之祀謹告於席豐兄適趙氏
姊及同族人豫立承重孫嗣祖將来鏞之子生子即承兄
之祧兄两女長適任邱盧氏次未字當擇配以竟兄之志

嗚呼

魏祥傳

魏祥字致和歷城人八歲喪父事祖母母以孝聞嘗遇儉歲與姊若弟往食義糜中路盜敗遂不得食母扣屨或蒸餅販瓜果以給其家少貧苦如此少長操圬者業久之程材效伎一切出儕伍上省垣及郡邑有大興作必名祥計名遂著於四方士大夫亦刮目禮之詫為異才乾隆甲辰高廟幸天津適安南王來覲上欲結蘆殿宴之期在詰朝鹺使已下咸束手以詢祥祥曰能迺挽名匠氏指揮左右一夜竟成奏上大喜祥之能事雖南服亦知名矣比仁廟

西巡五臺離宮十數皆出祥意恉結構向背視大內不差其他匠石咸稟承無敢或違當事恠之祥曰譬之仕涂予固科甲出身也聞者皆歡笑愈益重之祥父死葬義塚中祥起家漸饒裕痛先人骸骨之棄擲汙下擬遷高敞地有尼之者謂君貧賤數十年一藝成名膺六品秩封贈祖父父母子姪讀書且司鐸家運隆隆未必非尊考之偶得吉壤易之恐非兆也祥不惑其言卒行其志此可知其為人矣祥不知書嘗口述其平生艱危及其重慈苦節事而徵詩文於人人亦樂為之題跋今年逾七十來求訥中丞贊予乃剌取其事而為之傳如此

記王蘭谷先生事

先生姓王氏名照芳字德芬蘭谷其號也世居今清江浦之草市口伯曾祖錦希韋康熙戊午舉人本生曾祖鑑鏡如嗣祖依濤次山嗣父寶樞運乾俱有聲山陽學校自曾祖至先生之子若孫六世詩書青衿相望蓋莫不知吾浦中有王氏云先生質重氣沈目大睛灼豐頤皙鬚聲清而洪往往驚其座客情意確實周至幹事有始終條理議論切中時病遇槃錯不蔓不苟帖妥一歸平正嘗以所著蘭谷歷年記示鏞乃得識其犖犖大節先生生乾隆乙亥方生之前夕次山公夢嘉樹結實纍纍可愛故小字曰果由

是為運乾公後孽生繁衍信有徵已次山公文行重鄉鄙有經師人師之目運乾公尤自振厲邊幅授徒得衆心回領鄉薦賚志卒先生才十一歲不獲聞教然當運乾公病時先生與中表某自外塾歸公敂曰爾輩誦何書先生對曰鄉黨公曰紺緅深青揚赤色作何解某默然先生就青赤析言之公曰揚字作何解先生應聲曰顯出也公喜曰此子可讀書既冠郡守鄭公基試清河僮子拔先生第一遂受知學使謝公墉尋擢高等補增廣生聲名望實輝映遠邇遂識上元葉大令世經中丞世倬寶應朱封翁彬貴賤出處金石不渝其佐太令於古田也古田有水口黃田

兩驛差徭稠疊官民重困前令坐驛累至死且寘法者凡
數人先生受大令誣諉經紀其事每歲節縮四五千金積
苦頓甦比大令治侯官會校試童生屬先生閱卷以前茅
登賢書捷南宮者如劉肴勳廖鴻荃何兆熬皆其選也其
佐中丞於長寧也監收倉穀剔除胥吏需索積弊鄉民稱
便中丞號為廉明然遇案牘轇轕輒屬先生部居別白一
讞了然循聲益著臺灣林逆之變檄蜀中碾運兵米三十
萬石長寧應辦七千石限解交重慶粮臺所過險灘惡水
最易沈覆先生單身督運載以輕船粒米無失嗣中丞官
乍浦同知商民苦鹽筴封船事先生佐之訴上游令鹺商

造船若干隻長年裝運永不封船其弊遂絕今黔撫韓公克均初除溫處台道觀察朱封翁嗣君士彥自京薦先生厚聘至浙料簡軍工廠務承造外海水師大小戰艦事煩費鉅先生勾稽綜核若網在綱計先後佐治當事十一年事權在手時時以便民為念脩脯而外不受一錢故所至倚重而直言決事無相齟齬迨後過從執訊投分論交數十載如一日也先生幼篤友誼凡力之所能到事之所難任委曲調劑必得當而後安丙午捐貲送吳氏孥於京師吳遂有後乙亥践范氏諾為其兩世貞節請旌如例先生常曰予稟賦厚而氣旺方乾隆五十一年瘟疫盛行予為

戚友市棺檔者三十餘家釀金為之殮者十餘家往来存問而卒不病幸也先生少孤績學不為世用倦遊歸里益念先人世澤湮沒過逸無聞當世久矣廼搜羅放綴輯遺文梓槐綠堂稿布之鄉里更隨先生蹤跡所至播傳楊越燕晉閩海之間清芬餘韻沾溉無窮又著王氏家譜潢治次山公手批四書講義滙通十二百紙敦本茂質不忘其先類如此道光甲申四月為先生七十生辰子三孫五曾孫二先生手一經教子課孫回憶灩澦風濤永嘉山水壯懷遊歷老景從容當必鼓掌而笑滿舉兕觥也先生之嗣母鏞之從祖姑也潘楊之戚吾族眾大小無不敬愛先生

先生於吾族衆大小亦無不摯契如吾祖姑之及今存也

道光四年四月

書陳斗事

嘗聞之長老云前數十年吾里有陳斗者固原刺史恭之子也母氏某為篷所凌恚而死既殮斗晝夜哭一日篷澣衣檐下斗捉其髮出襪中刀從背刺之頭應鋒落家人無知者斗擲刀提頭祭母靈衰絰出門血淋漓污所經排道號曰頭來頭來市人錯愕爭尾之至縣門撾鼓抗聲曰陳斗為母寃殺父妾令急升堂直視叱曰汝顛耶曰不曰汝知法耶曰知曰汝父在耶曰在乃大哭令召刺史慰之曰

汝一子於例當得原刺史未之決竟瘐死於獄斗在獄嘗為某囚具文白冤比斗死獄中囚携酒食泣奠而去斗能文在獄有句云童子有冤生已白中生無罪死何辭聞者哀之

朱母李太孺人行略

丙申之冬吾邑節孝貞烈與旌典凡三百九十二人而一門雙節以婦姑重於時者里中朱氏某其最著也朱之婦姑俱楊姓姪其從姑後先厲志夫朱氏之居吾邑由來者遠然撫兩少孤不隕門祚俾諸孫成立以詩書聞鄉校則姑楊之力為備至為奇艱此吾所稔知而詳舉以告有司達

朝廷並介婦楊如例建坊崇祀節孝祠者也今年二月郡博士弟子員鳳翔與其弟鳳儀具母夫人行實哀經哭泣求吾表章之鳳翔具言曰吾祖母嗣母皆惟吾子薦白邀綽楔之榮存歿均感吾本生母李太孺人吾旌節祖母之冢婦吾旌節嗣母之姒也吾祖母最喜愛吾嗣母吾母常訓鳳翔等謂汝曹得飽半菽皆汝祖母鍵戶所留遺汝祖母積勞成血疾常氣結不舒汝嗣母與吾日夜侍不避穢不辭瘁汝嗣母尤骨肉之而汝祖母輒不偏汝嗣母也汝嗣父蚤逝汝父單身撐拄體汝祖母孝事汝曾祖父母心時時求養汝祖母志汝嗣父卒吾初生汝遂割愛破例以

汝後吾知汝父安汝嗣母即慰汝祖母吾默默不敢有所違汝兄弟當念之不可以親從論鳳翔鳳儀又言曰昔吾父元圃公勤家計俯仰壽方五十有三適病鬱攸吾母單竭精力求殉不得今茲瘵終實從前事吾祖母暨吾父病或數年或數月之久而在室事吾外祖父母亦如之故六十衰頹體貌似八九十老姥也又言外祖父孚吉先生吾學老宿性樸誠家政謹嚴吾母終恪守之吾母先失恃事繼母尚與母同吾母臨訣先數日告鳳翔鳳儀曰吾雖去汝曹當如吾在時孝事汝外祖母庶不背汝外祖父囑吾之言吾死可對汝外祖父於地下今同胞僅存者汝上池

舅氏亦衰老汝三舅氏素有疾疾尤吾不能釋於懷者鳳翔又言曰吾生母慈惠儉勤之餘益不忍以刻責待臧獲吾嗣母誓節一生祇遺一女子子吾本生母至今存恤雖甚窮窘不負吾嗣母託即吾長子品紳生未兩月吾兄配馮氏死十五年來以長以育皆大母劬勞所致惜乎吾子報劉無從也具狀與所述大概相似吾與朱氏為鄰蕙嫻常過從所謂稔知而詳舉如是後之操彤管者當顧聞其略也

周貞女傳

山陽版牐鎮有周貞女女者父寧食力為微賤役幼字同里

徐德明子良才良才家故貧遂過摽梅期嘉慶乙丑女年已二十五良才羅篤疾女稔之而憂於心且屢感不祥兆用是知壻之未必起也乃請於父母若將製寢衣者購白布為喪服藏篋笥中他人未之知也丙寅五月良才死女夜夢有聲若霹靂然汗發背貫踵起得良才耗扃戶發箱縞衣徧體父母排闥入女跪而泣請往弔夫喪父母執不可女執裾言曰許弔則兒生不許則兒死雖防兒未必終苟活也爰送之徐撫屍躃踴痛出性情里巷傳嘆觀者填闉繼收淚拜翁姑婉婉成婦禮見陳尸繩榻短衣不掩乃罄厲家人典其服飾以治殯斂之具既葬煮菽奉堂上不

足以十指佐恤恤慄慄相依為命視子職蓋有加方女之
来也值盛暑母遺葛幃為避蝨計女卻之曰舅姑老尚無
之兒忍享之邪聞者覘其孝
萬杏邨曰女子未嫁守節于禮未之合也不合于禮曷傳
乎爾衷之于義也衷之于義則凡未昏而壻死者舉不可
再字矣此又不然夫人之生也有性情即有氣節堅毅激
烈勃發而不可遏自不為物欲屈否則不必彊也先王制
禮嚴矣而不苛人以所難其有奇節者制其行於禮法之
所不到則又未嘗非義之所宜聖人者起知必於貞女有
取也

婁烈婦傳

婁烈婦者予友孚堂觀之弟妻倪氏也孚堂本清江浦人先予隸學校與姻黨亦有瓜葛嘉慶庚午僑寓江甯知孚堂去不半里和門握手懽相得也坐無何孚堂舉所適閱告曰吾弟恒自蘇病歸死於此吾弟之妻倪自浦來經於此經之日距來之月甫五十有七蓋今年六月十五日子丑之交也語未畢而色慘沮淚涔涔下予為之且悼且太息遂得聞其詳云方倪之初得恒耗也祇云病爾倪竊意其未必起拜母泣別母故與倪居知不可復見簪珥衣著或質逋或贈故舊孑身浩逵計蓋決為旁睨者咸驚異洎

至奴張從子家蘭敬相迓倪瞷得恒亡狀遂號踊亟求見櫬奴為製白衣履故緩之倪不可遂臨於雨花岡以首觸恒櫃倒地氣不絕僅如縷自是粒水不下咽者六晝夜奴與從子皆跪乞奴曰女兄伯未歸女侄又幼婦殉其何以堪倪聞而起曰諾強食飲者十數日而血縷縷從痰出倪意差喜孚堂反自太倉溫言備至倪但食米圭撮痛聲猶時時作也月餘家人守少懈倪亦習操作言笑懽悅若漸適者遂乘間縊孚堂鳴於官而辭其檢並為請旌於朝嗣一子後倪七十日而殤以今年七月日併恒反葬於浦中覺津寺側

萬鏞曰傳稱未亡人者謂其未亡之憾匪謂其亡之猶有憾也雖然有說焉女子從夫夫一旦死死之日有翁有姑有子女若是者俱不可亡亡之為不孝為不慈殉夫之難而適以遺夫之痛也然則未亡人之稱固有其意義而非婦之盡可以烈聞令夫天地之道曰柔與剛得其柔者其性情志氣與順宛篤欲其為雷霆之震動風雨之迅疾不可得也若其剛者則固不得概論矣清江浦當淮黃之衝水深而力勁氣節鍾於女子者以予所見聞不可勝數馮烈婦後近今四十年若倪氏亦其嗣音也倪年才三十一乎堂固可依而倪之所以亡者固其貞琬之無憾也夫或

曰倪有母老而貧閒孚堂時贍恤之倪亦可遂瞑矣予於孚堂甚難其遇而亦極樂道其相待骨肉親故之厚也

蔡烈女傳

烈女蔡姓江蘇宿遷縣順德鄉七圖人父名步衢戊辰孝廉烈女其季也幼慧有識詩書上口輒解於古今賢媛事記之尤詳孝廉有弟子張茂蘭孝廉愛之遂女爲嘉慶乙亥九月十八日茂蘭殤烈女得耗於媪婢既信悲泣不絕聲但日夕飲水父母知有死志守之常無睡烈女輟泣告曰兒在無以報死即完兒事父母當亦謂然兒聞不食死者多矣自念父母遺體不敢別作計請即安寢如故勿更

勞也姊某勸守節毋絕食烈女曰如妹志何請為父母姊弟各一食勿更勸也食既周但日夕飲水父母至偃卧無聲去後哽咽而已父母與姊以米漿代之飲既覺視清者乃入口如是月餘一日母與之飲烈女曰兒之不死飲水故也久愈為父母苦不復飲矣漱而吐之又數日知將死勸父母勿傷勉諸弟孝神色不亂語畢遂逝距壻死日八十有一矣年二十一方烈女之不食也父母為營斂具烈女曰兒見明史烈女傳王寵麟繼妻李氏不食經四十日猶能為善後計兒如死豈不自知勿更哭也烈女讀書善記有識蓋如此

論曰壻死女可無死於禮但衰絰往弔然節烈之性存乎其人未能一也蔡氏之父為名孝廉有女如是賢矣孝廉具狀請旌於朝得報可然烈女有未昏嫂馬氏曾殉其兄聿麟與旌典有謂馬女獲美名烈女曰為名而死非貞也吾嫂當不然

嚴孝婦傳

同學嚴自堂明醇謹人也一日以母孺人行狀來乞予文拜跪於邑以不克表章其母為恨予展卷讀一過為正告曰尊母刲肱救翁一節是誠孝所本不可不箸之為世范且備志乘摭采風化人倫予當不讓作嚴孝婦傳傳曰

孝婦范氏清河縣學文生嚴元標妻增廣生某女也幼承父教通書遂知大義年二十四歸元標元標家故貧父某母氏某年壽俱大孝婦與其姒同作苦田以鍼黹佐君舅君姑養乾隆四十三年春君舅忽罹疾將不起巫醫罔效舉室蒼黃孝婦念夫苦貧常以養薄自疚葠苓貲重又無力營辦萬一舅有不諱姑老矣當必隱痛或至俱死夫素愛日戀戀膝下甚何以堪於是俟夜分家人寂靜手香一炷跪禱空虛願以己身為君舅之續語默淚迸直左肱哭過衫袖引匕首剜肉方寸許用布裹創處血淋漓拭淨不痛奉肉向上叩首起就鐺煎沸和湯藥進君舅立扶飲盡

詰朝少差君姑與元標不詳所以但驚喜君舅漸瘳孝婦創亦漸復後君舅無疾而終孝婦始為元標覺元標媿謝君姑壽八十餘孝婦事之卒不怠初孝婦刲肱不聞於人其次子明長而察其痂問之孝婦輒嗚咽流涕或再問之孝婦亦如是明遂不敢問晚歲適病明固請月日始悉明曰當為吾母表章之孝婦色慘沮曰吾酸楚以彼時汝父貧汝祖父母養不豐光景極難此小節不足稱明益時時銜恤

論曰割股臥冰廬墓本古孝子所為國家因前代令甲不准旌表蓋恐流俗效之致滋詭激不得不防然大忠大孝

多半過中其愚不可及即天地之心無論感應奚似身體髮膚受之父母用之父母非毀傷也往讀侯方域萬孝子割股議以昌黎持說為過姚太史之論備矣於乎天顯民彝寸心維繫激揚名教是在吾鄗然艱苦之行出於丈夫者多出於婦女者少出於女婦之事其舅姑者尤少吾縣舊志載孝婦僅十二人如嚴明母者范王鼎妻張湯輅妻王湯餔妻郭而已

賃齋記

今有賃人之屋者屋有券券有質歲月又有費亦信矣豪矣安且適矣然而世人賔賔焉若不足於賃而偶有敝者

必赧然如不出口意蓋以為吾債爲而已於乎人亦不思其身何如與其身之處於世者又何如欲不債爲得乎口鼻耳目債於首手足皮毛債於身由是水漿膏粱裘葛衣冠之屬一皆債於口鼻耳目手足皮毛吾之身固債者也則無一之非債者也而欲諱言債爲得乎且夫古今一債也天地一債也君臣父子夫婦朋友其間治亂興衰離合聚散則又莫不債於古今日月星辰山河草木其間晦明盈縮消息菀枯則又莫不債於天地古今債於數數不代嬗古今不得而債矣天地債於氣氣不生化天地亦不得而債矣世人知屋之不可常債而不知天地古今之惟債

乃常有君臣父子夫婦朋友與日月星辰山河草木而吾亦遂以自賃其口鼻耳目手足皮毛以受賃於水漿膏粱裘葛衣冠之屬而后乃得賃此屋也則賃誠信矣豪矣安且適矣亦何賓賓爲不足之有嘉慶己巳予賃得板閘鎮陳氏屋三間為人教兒子遂顏之曰賃齋而為之記雖然予之身固賃者也予壹不知是屋終賃於何人而予之身又不知其轉而賃於何方也

康太僕遺蹟記

清江浦樓之西有陳潘二公祠與崇實書院向背相毗處僅間一墻歲久不治荒落乃不可與崇實望嘉慶戊辰己

已閉合河康太僕基田衔命来襄力南河假館書院暇即栽竹種松書丹留墨意固有在不僅僅留連光景而已乃並起陳潘祠而新之凡仆碑残碣補綴磨礲二公之勛績靈爽於是乎益著因邏諸生席於其地手書勒石以為諸生藏修息遊之所又修治元帝山之禹王宫宫之左有池太僕乃樹石為欄引水植荷建草舍於上曰君子居庚午七月初旬丁司馬如玉嚴孝廉保泰先後觴讌累日予有詩紀其事太僕嘗語吾輩曰吾勤勤木石以斯土民生之憔瘁思有以振起之不然吾年逾八十游宴所及豈尚念此區區哉第吾去而蹂躪頹唐立見矣君輩勉之於虖此

其為太僕之意也夫閒太僕於今年三月奉詔遂朝所為作新諸勝蹟不可不壽之楮墨故為詳誌如此辛未夏四月僮陽厲史萬鏞記

游大明湖記

歷城圖經三湖䧿山湖久涸求李詩遙看䧿山轉杜詩隐見清湖陰蓋不可復得濯纓湖在今巡撫署予所居芝蘭室後皆是也明德藩詩主人曾此濯冠纓可證郡人邊華泉李滄溟俱有白雲亭詩亭在湖上今署北露臺陂石鐫白雲二字其遺蹟也獨大明湖波光岫靄游舫往来為此邦勝境水經注濼水出歷縣故城西南泉源出湧若輪其

水北為大明湖西即大明寺寺東北兩側湖此水便成淨池池上有客亭左右楸桐負日俯仰目對魚鳥水木明瑟可謂濠梁之性物我無違矣道元在北魏所稱如是唐李北海以其宗子某官斯土少陵同之游歷下亭詩云海右此亭古濟南名士多自是地靈人傑流韻靡窮蓋即酈注太明寺之客亭今所傍海右古寺殆以是歟土人則曰古歷亭乃康熙中鹺使李君興祖重建更名也亭多石刻高廟御詩碑其正面五律三章寫狀極盡妍妙莊誦數過老而健忘輒自恨恨餘有識有不識升亭望遠外山內城煙樹如薺而菱芡蒲荷魚鱗方罫水產倍於陸產歲久澤農

私為利藪自來漕運水匱尺寸總非其舊豈少也哉大明湖游泳之區其小焉者矣東去滙泉寺亦有結構芳蓮頃許尚未坼房船山居士集焦氏易林書楹帖雋逸有氣韻直北北極閣李陽冰序太白賜歸游齊魯請北海高天師授道籙於齊州北極宮當即此偩城偭湖為最高處要腳差健登覽盡目力信九點煙也撥櫂始得鐵公祠中有敞軒正對千佛大佛諸山遠嶂屏紆澂湖鏡澈坐中明秀之氣狂忽延爽蓋無以過之語同人曰此湖半成葑田舟行菆薄葭葦揭揭瀲灔之光都無所見到此青蒼蜿蟺尤盈庭映壁當日匠作之工胸中具有邱壑眎歷下亭為勝濯

纓有樊垣雖山更滄桑增感概已。芸臺先生節水經注水木明瑟一語為額楳翁撫東時與門下金門學使雅節即書學使四面荷花三面柳一城山色半城湖句勒之楹閒予二十年前習聞其故已記之厲沭日記矣

游大明湖後記

月之四日予来濟南才十晨夕及門蘊生請同漕幕舊友春墅毅卿小山溯洄湖上前已為文記之頃李桐階少尹至自任城少尹去年招要太白樓南池酒痕杯影囊游如昨蘊生廼治具鐵公祠石軒買舟逭爲山色湖光觴聚盡致夕陽入崦朱霞滿天廻楫蒲葦中荷風送香。睎前度益

增清興先是弭槎海石古寺僕人皆呼古歷亭予謂歷下
亭得名久矣當從其舊周遮廊榭遂登枕水露臺眺城南
北羣峯補前來所未逮北極滙泉諸勝不復去鐵公祠祀
鐵公鉉明建文時參政山東值燕兵犯濟南公集眾議嬰
城誓師水面亭即湖之南離華橋頭予肩輿起止地也祠
公於城之西門伏鐵版給成祖幾中傷之神牌滿堞義聲
動天是時靖難兵熾不特膏梁豎子力果不支而所至戰
守抗拒不屈公之外復幾人哉比鼎鑊至焦爛公終不反
面向與正學忠烈諸君子同千古予少日過江識金川門
抵長干里瞻仰神道祠宇拜伏其下輒已絫息泣數回適

讀大興翁閣學碑文恭載皇朝史館黃冊榮勵守城氣吞伏脈才識優裕志節堅剛十六字追謚忠定公之才節乃益著曾子所謂託孤寄命臨大節不可奪公蓋兼之無絲髮缺憾廼翼然斂衽向栗主三肅而退右軒之偏小滄浪卧石亦閣學記並書圖經有北渚亭久遠不能確指祠址大概近是乾隆壬子阿雨牕制府都轉此邦始建公祠及其先世佛公祠庭軒迤邐曲折婉嫿佛公巡撫齊魯在康熙中官至武英殿大學士制府一舉輝映先後竊以嘆是湖據城之西北閘當年父老猶能道公之督師巷戰其蹟尚在煙波左右間也己丑五月廿六日

十六錢硯記

嘉慶癸酉秋八月予客白門有賈人肩硯過寓壓擔盈筐同人以謂此必濫惡之物不則不若是之多且沿門求售也予進之其石則歙産也夫硯之足用者端谿澂泥歙石既真歙産即非老坑亦異於他山之石爰市小硯一長令尺二寸八分濶一寸九分博三分其面前俛後仰積墨薄厚如人意用價僅十六錢同人亦相與競購遂罄賈人之所有同人得硯爭言其善惡高下齦齦不休予默然退而試之墨隨指下瀋亦不擁良久俟其乾然後嘆是硯之真歙産而果足用也會應鄉舉攜入矮屋歷九日真草一萬

八千字有奇墨筆皆供給不苦燥予益奇重之雖所試不利文之過非硯之訧也今年應廷試其卷紙粗不易書同人爭自習書於筆硯尤精究求無憾於是先一日在私廨研墨極細用白金製壺載而往即不然用端石硯或三層細石奩硯予書甚劣又無力得金壺仍取十六錢者入場磨墨作書卒被放後由潞河僦舟越四十三日行三千里凡有題詠惟硯是役記春中征車歷碌二千里得詩若干首驛路荒寒旅居棖觸亦攜是硯自隨與予偕行春秋匪懈硯乎硯乎力甚矣倦則又不禁手硯而泫然也古人論交久要不忘硯固予之石交矣浦中陳君鴻睿善刻印屬

篆其陰曰十六錢硯杏村寶之而並記之如此雖然修名不立知者其誰硯固殊眾竊恐予之錄錄不足為硯重是硯又將淪落終也硯其進予哉甲戌九月二十八日

漁洋先生祠記

國初以詩學名海內天下翕然宗之者惟漁洋先生先生年二十二登乙未科進士第戊午春聖祖仁皇帝聞其才召見懋勤殿特改翰林院侍講尋拜國子監祭酒累擢刑部尚書卒謚文簡在禁院時天子徵其詩錄進三百餘篇謂之御覽集自來詩人榮遇無過先生者矣先生性情柔澹被服儒雅其為詩也兼綜眾有不名一家撮其大凡要

在神韻同時愚山施先生謂其弟子洪昇曰子師詩法如華嚴樓閣彈指即現又如仙人五城十二樓縹緲俱在天際夫以先生起家華胄自瑯琊徙新城世為名鄉顯人初謁選授揚州府推官題襟江表讀庚子辛丑壬寅諸藁昏疏逵還於吾淮尤多興感纔其所著不下千數百言而最後寄定九東原兼呈司勛先生七古一篇則己酉藁中榷清江浦時作實康熙八年也起首有句云一冬不雪春融融江梅岸柳俱空濛黃綢衾暵睡初足起看窗紙何曈曨又舟膠涑浦人跡絕天色慘慘雲而風讀此數語吾鄉情景宛然紙上蓋清江浦大橋口固榷關舊址迄今坊額猶存

先生時以禮部儀制司員外郎奉命来司船廠次年部議
裁簡遲數月始得牒遂京師按漁洋山人年譜榷清江浦
關專司船廠造船有陋規自總督漕運都御史下至道府
船政同知皆倚為利藪而木商湯甲實操縱其間官吏供
其頤指不暇山人至言於總漕帥顏保盡革之旗丁感說
船悉修艌堅固可涉風濤漕運頗賴以濟而山人終不名
一錢然則先生秉榷吾浦雖僅一載而於所事爬剔去其
泰甚利及軍國已如此亦異乎誦詩不達者矣清風亮采
為我朝人物冠二百年来無異辭讀其詩文劄記時時想
見其為人幸而官於吾里當使矜式後進聞者興起豈可

久而弗傳乎某謭陋分賤眎先生相去萬萬然竊景仰菀結以先生非守土官未得徑請祀名宦祠如近日素亭湛溪兩先生故事擬與鄉人士私建一祠於先生所樵左右協諸義而協或議禮者所弗禁也往歲容齋觀察先生族裔也任裡河理事同知某曾介其幕賓林仲騫乞於大橋口舊皇華亭割宅而新之觀察聞之喜且曰吾家事烏得辭正擬鳩工時會不偶事遂寢今升用太守外南司馬前邑侯甫亭先生涖浦日久寔政在民義不勝紀頃又興義學四慈幼堂一於大橋口修復方舟便南北行者因與仲騫用其宗人容齋觀察之議而建王文簡公之祠丹黝煥

發至是落成距先生涖止正一百七十有五年於乎名賢之蹟所過顧存公之不可滅者惟神而其祠適於是成者則數也文簡公諱士禎新城人觀察名廷彥錢唐人仲騫名翥山陽人太守名國佐嘉興人道光二十三年龍集癸卯月日部民萬鏞記

重建文昌閣碑記

淮安版牐鎮榷使駐劄地也署之東偏建有文昌閣梵宇崇閎奎光炳耀靈爽式憑匪朝夕矣乾隆甲午河決老壩工版牐處下游室廬漂沒者無算閣亦遂坍卸傾圮非復當年景象嗚呼尚可以妥厥靈哉越二十載盛公秉榷來

淮僧人以重建請許之旋奉命遷擢去工遂未果劉公接涖茲土捐俸興土木規模稍稍具継此阿公厚斧丕加崇起並度閣東之閒曠地將建以為文津書院蓋是時文教聿興厚斧之願正無已也一載調九江計遂寢嗣是諸君子仍前議漸次甃葺且重飾閣所毘連之魁星樓鳩工庀材六閱歲而事猶未竟昨冬天子命予視淮榷下車即瞻禮之棟宇飛華樓臺金碧森嚴肅穆洵足以壯觀瞻而大威靈矣會有請者據堪輿家言閣之東南隅宜建觀音堂為士民福予以事關風土不可不俯俞之乃命監工者經營如其制不一月以落成告夫以數十年廢圮之宇一旦

煥然重新且經六七椎使之手而始得以竣其事噫嘻刱造何如是之艱且鉅也盛公倡起於前阿公式廓於中予媿未能踵增其後而顧覩見是閣之成也則亦焉能畧其顛末而莫之紀哉抑予更有說焉文昌為文化之樞震位即文明之地從茲廟制光華休風振起庶幾大有造於斯土未必非前椎使之所漸而培也夫甯惟闔署之庇廕云爾哉

游隰西草堂小志

明季萬年少高士遯吾里築隰西草堂東南陡下其址不可稽指前汪翼傳行人就小南寺之右建室三楹以志餘

韻歲久傾圮幾乎墟矣嘉慶己卯吾族子以忠之仲舅唐育園用若干金重起之而隱其名頃與族人來游語以忠曰汝當錄其額之識語遺予書於別不可沒也堂中潢治崇川李蘭亭同育園及亡友素園輩上巳足集畫幢詩句懸之嘻亦好事之甚矣堂宇脩潔碧桃數株尚未著花藩以黃蘆和風響野正對予萬氏四節坊升高南望先塋列眉十八年前廣沭陽即有息壤之盟未知何日得踐今春二月二十二日公祭始祖墓回南巷飲福憩此同游者靜山光秀章弟用書心如族子吾兒以漸暨濟菴緒長族孫其一則以忠行之也

贈陳正夫序

正夫之為人也愿而少澗達豪雋之致近年四十迺復屏當未盤凌雜之事故髮禿而形瘠予頻年作客不常見今年以試事里居時晤正夫修故好也曩予十七歲始交正夫從其仲氏爾村前輩學正夫長予六歲爾村勖望甚切以予孤貧向學膏火常不給迺招予過其求定軒與正夫夜讀讀竟遂共榻抵足而睡晨興各就塾晚復聚自冬徂春風雪無間故正夫常謂交杏村者莫吾先也時正夫家饒於財當門戶者其伯叔相濟雅不援其子弟讀書正夫亦遂安之不復嬰心生計也然以予觀正夫才絀而欲廉

欲廉則易足亦正無需乎才以旁及而況才之為累固已多也然則正夫常守其愿而無易乎其欲之廉即處境亦何不自得之有哉正夫嘗索予言故贈風之際乃翁喜矣將掀髯而傾北海之尊之子勉旃且鞠跽以献南山之壽

方靜塘先生七十壽序

清江浦樓在運河南岸去禹王台不數武樓之東有酒坊舊為廠人方氏所遺於今近三百年方氏初以儒賈起卜宅禹王台對岸聚族而居閈閎甲里鄰嘉慶丙辰詔舉孝廉方正縣大夫不狥眾請特疏以方君父鏞應即所稱戩齋先生是也輿論韙之徵君與先大父逸溪先生為石交

先大父即世數年徵君以事過予家見大父像尚仰對於
邑予僮年傍立輒心識之以徵君誠古之人也及予長女
珠歸徵君之從曾孫熙熙之甫林林之甫則靜塘先生先
生同徵君之從子今年七十矣於時不諧際然見予必縱
談至移數晷不捨去予所議論雖甚不合時先生必不以
為繆戾此所謂因緣者邪信非偶然矣先生性穎而沈摯
生長膴原而沖澹斂抑不喜翕熱詩古文辭涉筆成趣而
尤嗜奕自弱壯艾耆昕夕寒暑坐隱不勌遂以奕名當時
夫奕為小數孟子之言是已然而班固奕旨稱其方正象
地則列布象天文動靜陰陽非具神明之德未必知其所

以然之故即孟子亦曰專心致志孔子訓人用心西京雜記載杜夫子之說精其理者足以大裨聖教由是言之欲希其聖豈易易哉柳子更有說者書畫琴棋皆游藝一體然或執伎事人或擅長自教性情品誼君子無取焉先生邃於所學常宗坐一室湘簾髹几時出楸玉局冷暖自娛夜闌燈炧丁丁聲猶達戶外也四方通雅之士來就手談先生脫粟遮留率饒數子或一先方今江淮蓋無有敵之者矣予嘗敂其所造先生曰小道適性而已世有國手執鞭欣慕若以此博取名利則非僕之所知前有某觀察折簡相招僅一訓畬嗣遂杜門不出也於乎先生之性情品

詣湛深於奕之中而又超軼於奕之外以奕名家卒不得以奕窺其際先生蓋有託而隱焉者也奕云乎哉方氏卒析閱先生楮狂其間專以經術教子孫郝下翹秀一門競爽仲君即歲貢成均例以修職郎貤封先生先生年高德劭子姓蓋樂得而左右之非但蔦蘿之施云

復芝雲廣文書

芝雲弟大人閣下二十日晡令子遠送手教備承慰唁之情愴述先慈之實讀未及半涕泗失聲家人故以事閒不孝執書長號痛念吾弟敬事吾母數十年如一日而吾母孝節亦惟吾弟知之最詳言之最確翰墨猶新文章具在

吾母既見背令而後吾弟不復為吾母徵詩上壽即姑溪
信来亦不再見堂上問安文字矣嗚呼痛哉不孝拙於應
制聞達無從然四方交遊總知不孝有節母甚至一面不
識或以詩來或以摯見每年春三月吾母稱慶不必介合
而約顧登堂相與羅拜不孝竊自愧感不知吾母孝節何
動人之至於斯也吾鄉之士僂指若干近歲以来鮮民同
悼不孝雖自少偏露然竊意小人有母愛日方長今則何
冀哉不孝近述先妣行狀搜羅散麗見丁卯報罷吾弟畣
函誦至念切報劉唯恐日薄數語覺彼時淚流忍俊不禁
尚不解箇中惻楚有如今日之再讀一過者也嗚乎痛哉

先妣茹苦一生得天尚厚不孝雖極不善養然神明聰強
宗老鄰媪年齒或遠遜吾母而體貌迴不相若手线夜拈
身衣晨綴儉德居難不後鄭太夫人七十七年始終一節
不孝喜懼兼至不過自恨衰庸恐貽母累竊不料吾先妣
忽以微痾棄絕不孝於今年正月五日午時也嗚乎痛哉
不孝素無學殖猝遭吾母大事吾弟又遠隔千里莫獲請
質苫凷草草諸不中禮於今思之抱憾奚及來教迺切切
諄諄以不孝為念然不孝之躬唯吾母是視頃當治喪勉
營窀穸椎心瀝血寔有難言先君子賫志早世生不孝甫
百五十四日嬰娩罹釁衰麻徒具去年五十九載總無涓

埃之報吾母生存不孝不敢泣言先君子情事然吾母常
謂先君子殯葬甚薄後來合祔恐難致力不孝吞聲迄無
方寸嘉慶戊辰地曾淤澱測量將及咫尋泗涕山邱不堪
設想初以紫陽考妣越時改葬百里相違並未同穴近如
少溪先生兩世均各自為阡似吾父吾母彷而行之或亦
無害於義然不孝反復難安必欲合併如禮且吾母自少
惸獨苦不忍言穀則異室歿尚子居乎昨向親族泣商僉
曰不可不孝忐忑愈甚窮人無歸補天乏策吾弟其何以
教之不孝罪孽與生俱來孤苦伶仃猶其細事刻下買地
未定即為吾母別立宅兆亦距先君子舊壟數武相望相

近似於先考妣魂魄均安然不肖烏私綣無以自解也嗚乎痛哉葬禮重大自昔慎難茲日在四月下旬定期當告尚祈復示數行居喪昏亂不莊不備孤哀子某稽顙泣言

與王孟常書

孟常弟大人啓前以先妣喪禮備承惠奠并領隆賻重重節次贊襄尤為銜感鏞素樸拙無足動人親党交游相卹相助是皆吾母孝義有以致之也苫塊深思哀歎何極常念先贈公未享不孝一日之奉於茲五十九載不孝哀莫更無報畣之期貴恨靡窮不可為子吾先妣十九孀居與吾父異別幽明人子之心如何可忍墓域再離無論同穴

誼乖吾父薄葬久沈亦終悲置過此以往尚有改遷之議之時耶鏞始而愳繼而悔終而慮展轉寸心久之始定三月朔日告墓測量掘土一隅深及八尺吾父子竟惝怳相值矣遂於廿六日啟柩率役肩舉葦幕相守朝夕泣奠稍補髮娩無知之失越三日甲午安葬新壙柩外罩椁椁內寔以石灰乾土柩身用白布三匝縱用紅布覆似衾式蓋中朽者易以新木不錠不孝始意仿照家禮改葬易新棺成斂親族以揀金法不可輕用不孝亦遂不敢不忍然於親屬之義有虧目睹心傷涕泗何補是則不孝之恨事也所幸天時未雨穴中無水堆淤深柩重節節艱險鏞祇得

随時默禱吾父之靈今雖幸克蔵事無憾然痛定思痛不勝怵惕新壙三面從仲騫議用三合土築成底鋪二寸仲騫於不孝此舉奔走數矣湘南亦来會葬餘者更十有六人不孝于田月餘仰荷先靈春風卒不爲厲先妣即於四月廿六日辛酉合祔成禮並於十四日爲秉鴻兄嫂及亡兒四柩改歸吾考妣正穴左右以求山向合一且族墓如禮庶後世易於守視用貲不計又於新壙後買重值之地二畝述告當亮詧即詢辰安不具

盖常先與仲騫私論此節謂蔣某一生竟不能爲其考妣合葬雖勢有所阻然千古憾事也鏞故於蔵事後謹報之

如此

華母哀辭

予自戊午授徒四方與鄉人離合將十七年去秋自京甯家始稍稍與鄉人慶弔之事廣衆相揖而不相省識蓋往往自訟故鄉人慶弔之事非親知久故亦稍稍斂退而不盡與然鄉人慶弔之事之文三數月間来索者則相踵也予甚難之非言之難於人有溢美於己有譽詞則不如其且不啻不如其已也是以難也然持是以質言於鄉人則不合於鄉人而鄉人之可與言與節言之而實諒於人子之誠者則非所以爲鄉人里中華君桂馥有母之喪一日

斬爲縗絰奉其父登仕君手蹟求題予門而拜家孟覺人常相習也曰子無然子之誠家弟當諒之華君又叩頭於劉君璞且言曰桂馥之母必欲得萬君之文感且不朽劉與予常相習也劉遂過予荊更生樓而拜而求且道所以烏乎夫人孰不有其親孰不欲文其親華君求予之文之誠如此劉君爲華君求予之文之誠又如此豈以予言無譽詞於其母無溢美與烏乎是可以諒矣孺人楊氏爲登仕君第三繼室年七十六以甲戌小除日卒桂馥及女子子二其所出也其他子女則非其所出也吁嗟乎人心之微也女婦之繼室於人者不幸而有前室之子若女[illegible][illegible]

蒙詬誶忍辛苦以曲存其飢飽寒暑之生其情亦甚難遣然前室之子若女不幸而事後母如母往往蒙詬誶忍辛苦不能訴其飢飽寒暑之生其情又甚可悲也恆婦人之情視前室之子若女異於所出可勝嘆哉孺人來婦時前室遺子一女子子三自繈褓迄昏嫁子若女事孺人如母孺人視前室之子若女如所出則鄉人共知者烏乎女婦之德莫難於是此之能然作家持門戶瑣瑣一切可無述矣於予無譽詞於孺人無溢美華君求予文之誠後之覽者乃益以諒也登仕君字蘭皋其父某封股廬墓純孝不受當事旌詳山陽縣志所謂手蹟如此為綴有韻之文告

哀於孺人其辭曰

緊婦人之有家兮維後母之艱而遺雛之失所兮微後母其誰憐既慈心之有加兮婦人之名此其賢

四從兄赤城哀辭

兄諱茂標字建霞號赤城太學生以嘉慶乙亥二月既望卒年五十嘗自得聯云卒苦成家撒手何曾攜一物經營琢句關心未必便千秋予怪其不祥今果揭之總惟矣兄性敏才桀而志不降遇俗子輒平視辭鋒陗厲謦欬所向披靡頃亦用自悔恨盛年困處夏着敝葛褌至百日不能替益讀書奮厲為文章往歲舉桮酌予曰弟知吾之詩乎

先君子才志縱橫踔躒潦倒一衿賣藥市上隱廛块中挑燈伸紙因寄所託時時授吾及吾姊吾妹橋梓塤篪倡酬自昔吾久欲都為一集付之剞劂用見吾先子詩教之長在家庭也言已顧長兒以清曰吾與女三叔語女識之毋忘烏乎自予高祖以下同齒兄弟存者僅十二人十數年宦學四方歲時媵臘求一晤聚敘家人子性之情久不可得前年滙川兄歸継而予歸既而毓成兄歸過從勞苦共相慶幸廼無何滙川喪偶毓成病不可知兄呻吟半月棄八十之母而去死生聚散老稚俯仰予亦惡能無痛乎哉今年正月二日兄來壽予母予母飯之予適自外至兄啄

予共飲予酌兄兄謂自酌稱意齒脫頰凹飲啖自若酒酣日晡放言今昔疏俊之氣豪宕之態蓋如故也去年重九前一日兄治鞠佳出窨酒招予及其久故得三數人家廚精潔團坐花間歡洽無似而今而後詩酒弟昆無復此樂悲何極耶兄之病也予于役郡城跡其病之愈否既無以悉聞訃又在疑信間及哭兄已闔棺二日矣郎嫂曰女兄彌留良念女予益擗踊涕淚不能止爰為辭以攄哀曰

生而慧兮振振長益困兮嶔崎氣寡兀兮迕於人遇知己兮如弟昆終始一節兮無亨無屯卷軸兮胸撐料事兮眼明詩有教兮女弟貞人一集兮雅音賡文酒集兮鐙影昏

強作達兮識言存毋哀子幼兮恨飲聲呑又弱一个兮門祚難論茫茫泉路兮招兄之魂

陳漪亭先生哀辭

先君子春秋二十有六即即世時鏞才一百五十三日先君子不及見鏞之長育鏞不及記先君子之狀貌哀苦憤恨四十年未嘗不仰天椎心淚常在睫也比讀先君子遺懷小草雖赫赫號僅十數而蓄志深思穆乎意遠竊幸窺測先君子之萬一故時時誦清芬深孺慕焉就中倡酬往還相得甚驩一再題詠者范雅堂先生之外則今漪亭先生雅堂先生之亡後先君子未匝月鏞不及一見然甚弟畏

堂前輩往往為鏞道之先生今年六十三矣少雅堂先生一歲先君子二歲風儀俊偉巋然尚存里鄰過從鏞遇之輒祗敬怵惕尊如伯叔蓋不獨見父之執已也先生為吾浦著族通經訓者代不乏人先生才豐貌秀少受知於謝金圃學使補邑諸生稽古窮今踔厲鄉校數踏省門不遇進取之志遂淡退而勤劬昕夕教訓後昆今春冢君兆桂獲雋鏞造門稱賀先生佈然言曰小子雖與賢籍不足為榮惟吾年力就衰得親見之幸矣不然尊公即世四十年不及見吾子之成泉路茫茫其喜耶其憾耶是未可知也鏞聞之而悲抑亦為先生悲乃未幾先生竟以疾終烏乎

先君子不見鏞之長育而先生則常見之鏞不及記先君
子之狀貌而先生則常言之而令而後先君子之狀貌無
人乎爲一百五十三日孫言之矣鏞之過此以往所以求
立於世者亦無與先君子同志之者成時相策厲則鏞之
所以憤恨於先生之去不益以深哉爰爲招䰟之辭以告
先生之靈曰
繄固原之薦紳其湮[漸]些有從子之青衿挹遺經些天懷肆
應於時不病些神明秀爽照物輒朗些驥足久羈數之奇
些鵬圖初開子則才些胡哀喜之駢聯在今年些豈傳家
之及時遂騎箕些見吾父於九原叙曩情些道吾母之卓

節荷天旌些維不肖與先生之子其相勉有成些

祭胡丈文

維年月日婣家子萬　虔具醴酒雞豚之物屬從兄　致祭於胡丈因亭先生之靈曰嗚呼天道無知耶何先生之報如斯耶方先生讀書未就而托於醫醫入得錢取財義而居心慈痛世俗之苟賤澆漓一生廼古道禮貌之自持少年食力家室撐措老親迂直百計説怡骨肉加厚朋友無欺求之今人吾常感歎而歔欷吾為先生伯姊之從子三十年辱承愛好與錫相視而無閒無疑吾母苦節深相敬重讀管焯集泣涕漣洟何老病不起遂符七月朔日之

言而與吾長辭嗚呼噫嘻壽之修短本不可齊先生六十八載忠厚勤勞竟無一子視含而惟煢煢無告之老妻吾聞先生之訃不得來歸謹和淚綴文郵告於先生之靈帷嗚呼尚饗壬申九月十日

四從兄柳崖先生哀辭

吾族自南昌合爐分支來淮陰於茲十一世其即所知而溯為譜略者則第七世蘭若公恪謹孝誠為有後於清江浦萬氏公生子四長尚周公國學生尚周公生子二長即柳崖兄也兄長身藍立白皙修髯少聰秀應童子試最為眉目乾隆乙巳受知謝金圃學使入邑庠尋試高等為胡

文恪公所識數奇屢蹭場屋不遂其志常怏怏用勗勵其子以言以寬以言能讀父書亦有聲鄉校然連舉不中第年已四十矣兄前猶厲書於予以謂平日不自苦而責以寬則時時勃谿雖至死蓋未嘗瞑也烏乎兄年六十有四不為不壽有子若孫亦不為無福然予前聞從女夫盧氏信知兄於去歲十二月二十九日即世即寄唁以言曰汝父體貌尚豐善飲食熱濕之劑發耶痰涎之頓仆耶不詳所以愈自心訟信甫去滙川兄及從子得天行之具書互備大率寒濕雜淫卒至舌亦無津越二十日而亡則兄固死於病也然兄子來訃則曰先父以來歲館穀未定晨夕

煩憂遂一病不復起烏乎予知之稔矣兄十數年前友教鍾吾所從遊者眾類多成就其時予亦客僮陽相距二百里郵遞往来予年未四十兄才五十許嗟修名之不立憂身世之維艱每讀一通輒為作惡輙裁函數百言或千數言寬譬達觀委曲靦縷兄亦時常覽之而歡喜而悲嘆前痕具在兄即長予十四歲亦不料棄予之在今日也兄於甲戌冬返里予亦歸自京師兄忽罹疾疾雖眴惝恍幾死非命予獨身拚力托先世靈爽兄得復還故吾然慮遠思深其中之有所郁也久矣去秋兄手書抵黃浦說重九前後病濕瀕死今甫入塾吾父子不知明年何適吾老而奇

若此則兄之末一札也頃一再讀涕零何似烏乎士人讀書數十載束脩自好不能為農工商旅之業博取金玉貲財又不敢鞅檢踰閑希冀非分抱一卷以終其身鼻息仰人轉徙靡騁質性疎俊者尚可自遣如兄之樸寔任周有不憂從中来者哉以言述兄遺屬少歷諸艱困窮至老所幸於學校鄉黨從無過失秉性不薄遇事直言待人未嘗亢厲心得三叔為吾志之用垂家乘烏乎兄自狀即寔錄予亦何文第為辭以攄哀云其辭曰

繄吾萬氏之遷淮兮至四世而增廣於郡庠爰家聲之似續兮自前明迄今幸不墜乎書香維兄抱遺經以自厲兮

更傳後而振起難量悼壯志之未遂兮窮年伉伉道在四方雖末俗之病儒兮蘭不橫門臭亦無妨一氊坐困四十年兮蓋棺論定究未變乎故常痛心氣之迂拘兮家累苦於屏當舉酒杯以澆愁兮不免枕藉杜康老而貧貧而病兮濕淫熱淫體以是傷人今而性古兮十數年諗兄廼卒莫之詳豈兄壽止此兮抑末路之唯恐不臧所嗟墳荒寡和兮又弱一个於雁行矧去春之揖别兮吾未歸而兄先亡撫今思昔兮泣涕淋浪行將哭兄之靈兮其招兄於白雲之鄉歲寔丙戌春正月廿有三日

跋

右十六錢研齋詩文集二卷先曾王父松巢公之遺箸也公生當乾嘉之際承平日久以孤露之身光大詩書之脈雖拔萃科未獲鄉舉退而教授南北東轍所被至廣感母氏艱貞每至一邑輒搜採節烈上請旌表前後凡數千人錫類之仁公心有焉又以鄉邦文献浸浸散佚雖有志乘未足徵信乃糾同人各輯所聞備一方掌故事雖不就而肄雅闡幽二錄其鱗爪也地方公益諸事若修葺聖廟舉行一文會等凡有興作靡役不與當時同邑則有蘇葛坪汪椿園孫問津王蘭谷諸先生官師則有程禹山盛子履

康基田訥爾經額諸公皆公師友與共談讎攻錯者也可謂盛矣公之行誼載在魯志者甚略而伏讀諸家詩文集所稱道往往遇之以考公之遺箸一一相吻合霖生也晚去公百數十年緬仰先德末由窺矣猶幸公之遺箸歷世寶守得傳於今雖中更兵燹益以家難殘蝕之餘不無零落而先祖父繼子公先叔父澴軒公先後數次迻錄又由先祖姑丈程振六先生校正詩文之存者稍稍有統紀可尋持校蘇氏之易孫氏之琴程盛諸公之集足為桴鼓之應事會所因變故迭出表章之意終未克申而諸父伯叔後先即世兩弟不幸亦夭逝家世門業萃霖一身自顧子

然何以負荷而手澤孤存尤深戒懼每展遺篋伏讀流涕長恐先世精神一旦絕於霖手其獲戾負疚不其甚歟乃檢集先後所抄諸本及零編斷簡可敘錄者付范耕研使董理之耕研者霖之中表而又仲妹婿也頗樂從事文字之役因以屬之謬者正之脫者補之所不足者益之凡得詩若干首文若干篇為集二卷殺青可繕寫嗚呼文字顯晦殆有時邪當公之時可自表襮而竟不然者謙讓未遑也其後數次編訂可以行世而又未即行世者蓋有待也今者天地崩陷大難忽來苞桑之繫不絕如縷荷戈疾走展轉流離死於疆場道途之上者不知其幾千萬億也典

章文物掃盪殆盡生民之苦於斯為極霖幸賴先人之蔭
棲隱衡門斂藏避難以應否運俟時清泰付諸築氏豈可
復緩哉爰識顛末以告後人公在天之靈寔貽鑒之民國
三十年秋八月十五日曾孫霖泉生甫謹記

後記

十餘年前初讀先父日記，得識「十六錢硯齋」，亦僅知為先母祖先之箸，仍不深知，幼雖居淮陰老家，小學五年級隨先父耕研公求學揚州，抗戰期間曾一度遷居水渡口老宅，始較瞭解斜對門之外婆家。先母萬氏松生、字惠生，與二舅母較為親近。萬府宅第廣大，只知其祖先曾有為宦者，亦未深詢。數十年後兩岸解凍，從先父藏書中，始知松巢先生乃先母之曽祖，吾鄉之先賢，文名遠播，惜其著作，於縣志中雖述及而多未刊刻，惟《十六錢硯齋詩文集》則深植腦際矣。繼讀《范氏世緒堂家紀》中，曾多次引述其《范嚴二先生傳》有關先高高祖畏堂公事，深以無緣一讀為憾。

去歲歸返離別五十餘年之家鄉，老宅原有房屋早已拆遷重建，整修道路，一片欣欣向榮。所能憑弔者僅剩東長街堂屋三間，亦即本輯《范嚴二先生傳》中之西園去予遠，畏堂僅隔兩三家〻之地，荒蕪久矣！與迪、胤三、四弟及星華表弟佇立良久，相對唏噓而已。

回憶過去雖不可得，但親朋鄉情則甚濃郁，除蒙熱情款待外，復經同窗好友盛　平（光祖）兄之介，得識吾邑藏書家駱　勉先生，獲贈其於解放初期購自路邊舊書攤之《十六錢硯齋詩集》及《十六錢硯齋文集》手抄本各一冊。事出意外，忽獲夢寐以求之寶，驚喜交集，急急捧書而歸、緣聞先生另藏有抗戰前刊印之《天然詩存》一冊，雖經天然先生子女數度懇請惠賜一閱，均遭婉拒，想見其愛書之誠。今竟割捨，能不受寵若驚，感謝再感謝，決定併入《嗇硯齋叢書》印行問世。

《文集》內〈范嚴二先生傳〉係述吾家遷淮七世祖畏堂公及嚴西園先生事，〈一錢會序〉又提到八世祖春城公。以私心言，為祖先事跡亦不應再晦而不顯。若非駱勉先生珍藏數十年，既使此珍寶又歸於重編者之後人，則何敢再緩哉！

先母生於萬府，松巢先生之曽孫女。昔因牲別歧視，未獲識字，但聰慧與膽識過人。先父嗜書，先母護書，每於先父文中常見感念先母護持之德。今能得萬府《十六錢硯齋詩文集》而印之，先母在天之靈當有慰也。

本輯之成，歷盡滄桑，幸未被毀，百餘年後終於露面矣！衷心感謝吾邑駱勉先生慧眼購藏，忍痛惠贈，得以行世。家慶霄兄已是八

句老人，知此輯之得來不易，慨諾代錄〈輯印
說明、總目次及後記〉。謹於此一併拜謝焉。

二零零二年六月

江蘇淮陰范　震恭識